periscopio

LAS LÁGRIMAS
DE SHIVA

GW00585402

PREMIO EDEBÉ
DE LITERATURA
JUVENIL

CÉSAR MALLORQUÍ

LAS LÁGRIMAS DE SHIVA

**PREMIO EDEBÉ
DE LITERATURA
JUVENIL**

edebé

Novela ganadora del Premio EDEBÉ de Literatura Juvenil (X edición), según el fallo del Jurado, compuesto por: Teresa Colomer, Ana Gasol, José Antonio Montull, Rosa Navarro y Robert Saladrigas.

© César Mallorquí, 2002

© Ed. Cast.: edebé, 2005
Paseo de San Juan Bosco, 62
08017 Barcelona
www.edebe.com

Directora de la colección: Reina Duarte
Diseño de cubiertas: César Farrés
Ilustraciones: Paco Giménez
Fotografía cubierta: Cover

12.ª edición

ISBN 978-84-236-7510-4
Depósito Legal: B. 12556-2008
Impreso en España
Printed in Spain
EGS - Rosario 2 - Barcelona

*Este libro está dedicado a Isabel González Lectte
y Antonio Martínez; o, lo que es lo mismo, a Patricia
Montes y César Torre, mis dos santanderinos favoritos,
mis queridos amigos de siempre.*

Índice

*Dicen que cada nueva mañana nos trae mil rosas; sí, pero
¿dónde están los pétalos de la rosa de ayer?*

Omar Khayyam

1. El bacilo de Koch

En cierta ocasión, hace ya mucho tiempo, vi un fantasma.

Sí, un espectro, una aparición, un espíritu; lo puedes llamar como quieras, el caso es que lo vi. Ocurrió el mismo año en que el hombre llegó a la Luna y, aunque hubo momentos en los que pasé mucho miedo, esta historia no es lo que suele llamarse una novela de terror.

Todo comenzó con un enigma: el misterio de un objeto muy valioso que estuvo perdido durante siete décadas. Las Lágrimas de Shiva, así se llamaba ese objeto extraviado. A su alrededor tuvieron lugar venganzas cruzadas, y amores prohibidos, y extrañas desapariciones. Hubo un fantasma, sí, y un viejo secreto oculto en las sombras, pero también hubo mucho más.

A veces, sin saber muy bien cómo ni por qué, suceden cosas que nos cambian por dentro y nos hacen ver el mundo de otra forma. Con frecuencia, se trata de sucesos triviales, acontecimientos a los que, cuando se producen, apenas concedemos algún valor, pero que a la larga acaban adquiriendo una inesperada trascendencia. Eso fue lo que ocurrió cuando mi padre cayó enfermo.

Un ser microscópico, el bacilo descubierto por un alemán llamado Robert Koch, desencadenó la cadena de sucesos que acabarían conduciendo a aquel verano de 1969. Y ese verano fue muy especial: mi padre enfermó, yo me fui de casa, el hombre llegó a la Luna, vi un fantasma y descifré un antiguo misterio. Sí, sucedieron muchas cosas ese año, pero lo más importante de todo fue conocerlas a ellas. Las cuatro flores, así las llamaba su madre: Rosa, Margarita, Violeta y Azucena, mis primas. Ellas me mostraron un mundo secreto e íntimo, una realidad próxima y cotidiana, pero que hasta entonces había sido totalmente ajena a mí.

Todo eso sucedió hace mucho, claro. Por aquel entonces no había ordenadores personales, ni videojuegos, ni televisión por satélite. A decir verdad, ni siquiera había televisión en color. Era una época en blanco y negro, un tiempo de cambios, al menos más allá de nuestras fronteras. En otros países, los estudiantes tomaban las calles exigiendo un mundo mejor, los *hippies* adornaban con flores sus largos cabellos, las mujeres reclamaban los mismos derechos que los hombres, los jóvenes se manifestaban en contra de la guerra de Vietnam, las chicas usaban minifalda y biquini, los chicos imitaban a Paul, John, George y Ringo.

Eso ocurría en Francia, en Inglaterra, en Holanda o en Estados Unidos, pero en España las cosas eran distintas. Había una dictadura; el viejo general Franco todavía controlaba con mano de hierro todo cuanto sucedía en el país, dictando —era un dictador— lo que podíamos o no podíamos hacer, ver o decir. Mientras el mundo bullía de creatividad y nuevas ideas, España dormía una larga siesta que ya duraba treinta años y de la que parecía no ir a despertar jamás. Claro que yo, entonces, no era muy consciente de todo aquello. En casa jamás hablábamos de política —nadie lo hacía en el país, al menos en voz alta y sin miedo—, y creo que no me di cuenta de lo injustas que eran las cosas hasta que Margarita me enseñó el auténtico significado de la palabra *libertad*.

Pero no es de política de lo que quiero hablar, sino de un fantasma, de misteriosas desapariciones, de una tumba vacía, de viejas rencillas familiares y de un secreto largamente oculto.

* * *

Papá cayó enfermo a principios de año, poco después de Navidad. Llevaba tiempo sintiéndose mal —tosía mucho y le dolía el pecho—, pero a papá le horrorizaban los hospitales y creo que, de no haber sido por la insistencia de mamá, jamás hubiera acudido a la consulta de un médico. El caso es que acabó yendo, y el doctor, tras realizarle diversos análisis, le diagnosticó tuberculosis. Afortunadamente, la enfermedad había sido advertida a tiempo y tenía fácil curación, aunque el tratamiento sería largo.

A finales de enero, papá ingresó en un sanatorio situado en la sierra, a unos sesenta kilómetros de Madrid. El aire puro de las montañas era, al parecer, muy conveniente para su restablecimiento, y ése fue el motivo de que se ausentara cinco meses de casa. Le eché mucho de menos durante ese tiempo, ya que, para evitar el contagio, ni mi hermano ni yo podíamos visitarle y, aunque solíamos hablar con él por teléfono, aguardábamos con impaciencia su regreso. Sin embargo, cuando éste se produjo, yo no iba a estar allí para recibirle.

Mamá le visitaba dos veces a la semana, los jueves y los sábados. Después de dejarnos a mi hermano Alberto y a mí en el colegio, se sentaba al volante de su pequeño Seiscientos y ponía rumbo a la sierra, para regresar a última hora de la tarde, tras haber pasado todo el día en la clínica.

Un jueves, a mediados de junio, mamá volvió a casa un poco antes de lo habitual y nos reunió a mi hermano y a mí en el salón para comunicarnos algo muy importante:

—Vuestro padre está mucho mejor. Volverá a casa a finales de mes.

Mi hermano y yo recibimos con alegría la noticia, pero mamá, en vez de sumarse a nuestro entusiasmo, permaneció silenciosa y circunspecta. Al cabo de unos segundos, anunció:

—Hay un pequeño problema. Vuestro padre todavía no se ha restablecido del todo y aún existe riesgo de contagio —hizo una pausa y prosiguió—: Por tanto, hemos decidido que pasaréis el verano fuera de casa. Tú, Alberto, vivirás con tío Esteban. En cuanto a ti, Javier, irás a casa de tía Adela.

Me quedé con la boca abierta, pasando de la sorpresa al horror en apenas un segundo. Tío Esteban era

14

hermano de papá y vivía en Madrid junto a su mujer y sus tres hijos varones. Pero tía Adela...

—¡Pero tía Adela vive en Santander! —protesté.

Aunque mamá me dedicó una sonrisa, tras la afable expresión de su rostro pude adivinar una inquebrantable determinación. Sin duda, ella sabía que yo iba a protestar y, sin duda también, no estaba dispuesta a dar su brazo a torcer.

—Santander es una ciudad preciosa —dijo—, y podrás ir a la playa todo el verano. Además, mi hermana tiene cuatro hijos...

—Cuatro hijas —la corregí, poniendo mucho énfasis en la «a» de la última palabra.

—Sí, cuatro hijas. Precisamente una de ellas, creo que Violeta, es de tu edad, así que tendrás una amiguita con quien jugar.

Podría haberle dicho que ya era demasiado mayor para jugar con nadie, y menos con una chica; podría haberle dicho que la idea de tener una «amiguita» me repateaba el hígado; podría haberle dicho que estaba harto de ser el último mono de la familia... Sí, podría haberle dicho todo eso, pero no lo hice, pues sabía que hubiera sido inútil.

—¿Por qué no voy también a casa de tío Esteban? —insistí—. Así no tendría que irme de Madrid y podría estar con Alberto.

—En casa de tío Esteban sólo hay una cama libre —respondió mamá en tono paciente.

—Bueno, ¿y por qué tengo que irme yo? ¿Por qué no se va Alberto a Santander y yo me quedo en Madrid?

Mamá suspiró.

—Porque Alberto es demasiado mayor para vivir en casa de tía Adela.

¿Demasiado mayor? Alberto cumpliría diecisiete años en julio, y yo ya tenía quince; tampoco era tanta la diferencia de edad.

—¿Y qué más da que sea mayor? No lo entiendo.

—Ya lo entenderás dentro de unos años.

—Pero...

Mamá sacudió la cabeza y se cruzó de brazos.

—No insistas, Javier. Tu padre y yo hemos discutido este asunto largo y tendido y ya hemos tomado una decisión. Cuando acabes el curso, irás a casa de mi hermana y, créeme, pasarás el mejor verano de tu vida. Ahora, volved a vuestro cuarto y seguid estudiando, que a mí todavía me queda un montón de cosas por hacer.

A punto estuve de protestar, de decirle lo injusta y arbitraria que me parecía aquella decisión, pero todo conato de rebeldía estaba condenado al fracaso, pues a mamá, cuando se le metía algo en la cabeza, era sencillamente imposible hacerle cambiar de idea. Así que adopté mi mejor expresión de dignidad ofendida y me dirigí, junto con Alberto, a nuestro dormitorio.

* * *

—¡Qué suerte tienes, cabronazo! —me espetó mi hermano nada más entrar en el cuarto.

Le miré con suspicacia. ¿Me estaba vacilando? Una de las principales ocupaciones de Alberto era hacerme la vida imposible; sin embargo, ahora parecía sincero, como si realmente me envidiase.

—Qué suerte tienes tú —repliqué—. Te quedas en Madrid y a mí me mandan al quinto pino.

Alberto movió la cabeza de un lado a otro, como si yo fuera un caso perdido y él, un pozo de sabiduría.

—Eres más infantil que un kilo de tebeos —masculló en tono despectivo—. ¿Por qué dice mamá que soy demasiado mayor para vivir en casa de tía Adela?

—Y yo qué sé...

—Pues porque esa casa está llena de tías, so memo. Las hermanitas Obregón, nuestras primas. Estuvimos hace cinco años en Santander, ¿es que no te acuerdas de ellas?

Intenté hacer memoria, pero sólo pude evocar una confusa imagen llena de trenzas, correctores dentales y zapatos de charol.

—Eran unas crías —objeté.

—Sí, lo eran, hace cinco años. Pero han crecido, pedazo de subnormal, y ahora tienen tetas, culo y, en fin, todo lo que hay que tener. Además, he visto fotos suyas recientes —movió las cejas de arriba abajo, con aire de complicidad—. La mayor está buenísima, para mojar pan, chaval. Y la siguiente también está maciza. Usa gafas, pero se las quitas y parece una sueca. Incluso la que tiene tu edad está buena. Un poco plana, pero guapa. Y la pequeña... Bueno, todavía es muy pequeña, pero las otras están para comérselas. Por eso no quiere mamá que yo viva allí. Sería como meter un gallo en un gallinero —suspiró—. Y por eso vas tú, imbécil, porque eres un crío y no sabrías ni encontrarte la picha en una habitación oscura —se encogió de hombros—. Pero a lo mejor las pillas en bragas. Oye, si las ves en pelotas, toma nota, chaval, que luego me lo tienes que contar con detalle.

Mi hermano vivía en permanente estado de lujuria. Era virgen, por supuesto, y tenía tanta experiencia en asunto de mujeres como un beduino en hacer esquí de fondo. Pero estaba obsesionado y cuatro de cada tres pensamientos los dedicaba al sexo.

—Eres un cerdo —le dije.

—Sí, un guarro —asintió él con una satisfecha sonrisa—. Y tú, un *pasmao*. Desde luego, Dios da pañuelo a quien no tiene mocos. Anda, chaval, vete a jugar con los *Madelman*.

Alberto me contempló con desdén. Luego, desentendiéndose de mí, se sentó frente a su mesa y, tras espantar los lascivos fantasmas que rondaban por los estrechos corredores de su cerebro, volvió a empollar su libro de matemáticas.

Yo también intenté estudiar, pero estaba distraído y no podía concentrarme. La noticia de que iba a pasar el verano en Santander, que tanto me había horrorizado al principio, ya no se me antojaba tan nefasta. En fin, no es que me apeteciera ir; prefería quedarme en Madrid, por supuesto, con mi familia y mis amigos. Sin embargo, comenzaba a sentir curiosidad hacia aquellos parientes norteños a los que apenas había visto un par de veces en mi vida y de los que tan poco sabía. En particular, había algo que, quizá por el entusiasmo de mi hermano, me intrigaba cada vez más.

¿Quiénes y cómo eran mis primas?

* * *

Los exámenes me revolvían las tripas. Lo digo en serio: me descomponía, me entraba diarrea. Invariablemente, antes de comenzar un examen tenía que ir al servicio y, luego, pasaba el resto del día con mal cuerpo. Afortunadamente, la época de exámenes quedó atrás y entramos en ese limbo extraño que eran los días inmediatamente anteriores al final de curso. Todos, profesores y alumnos, queríamos irnos de allí, nadie hacía nada, pero alguna sádica norma ministerial nos obligaba a permanecer mano sobre mano, sumidos en el tedio de aquellas aulas sombrías.

Aproveché esas horas muertas para reflexionar. No lo hacía sobre nada en concreto; pensaba en mi padre, en el verano, en Santander... y en las chicas. Las mujeres eran para mí un enigma, una especie de acertijo que, por mucho que lo intentaba, no lograba desentrañar. En aquella época, los centros de enseñanza no eran mixtos. Había colegios masculinos y colegios femeninos, de modo que rara vez nos relacionábamos con personas de nuestra misma edad, pero de diferente sexo. Hasta hacía poco, las chicas no me habían interesado lo más mínimo. Ni les gustaba el fútbol, ni sabían tirar piedras, ni orinaban de pie; así que, a mi modo de ver, eran unos seres raros y aburridos.

Sin embargo, poco a poco había ido cambiando de parecer, y las chicas comenzaron a interesarme; primero de forma vaga, con sorprendente intensidad después. Incluso llegué a preocuparme, temiendo que, con los años, pudiera convertirme en un cretino hiperhormonado como mi hermano, aunque en el fondo de mi ser albergaba la certeza de que nunca llegaría a caer tan bajo.

El problema es que no sabía cómo comportarme con las chicas... No, ése no era el auténtico problema. Si quiero ser sincero, debo reconocer que las chicas me daban miedo. Cada vez que estaba delante de alguna muchacha de mi edad sudaba frío, se me secaba la boca y, lamento decirlo, me descomponía. Era como pasar un examen.

Y ahora, de repente, iba a vivir en una casa llena de mujeres.

Lo curioso del asunto es que aquella idea, aunque todavía me desconcertaba un poco, se me antojaba cada vez más excitante. No me refiero a excitante en el sentido de los eróticos delirios de mi hermano; se trataba más bien de la clase de expectación que sentimos hacia lo desconocido, como cuando comenzaba a leer una novela de ciencia ficción y la promesa de un universo de maravillas se abría ante mí.

Finalmente, el limbo se disolvió en la nada de donde había surgido y llegó el fin de curso. Lo aprobé todo y con buenas notas. Mamá se sintió tan orgullosa de mí que llamó por teléfono a papá para contarle lo listo que era su hijo. Yo también hablé con él, y escuché a través de la línea sus felicitaciones, y sentí muchas ganas de abrazarle y darle un beso, quizá porque estaba lejos y hacía mucho que no le veía; pero puede que también fuera porque, desde que yo me consideraba mayor, había dejado de besarle. Es extraño: ¿por qué, conforme crecemos, a los hombres nos avergüenza más y más mostrar nuestros sentimientos? Porque somos idiotas, supongo.

Aquella tarde me quedé en casa. Alberto, que también había aprobado, se fue a celebrarlo con sus amigos, pero yo me sentía, no sé, raro, melancólico, y no me apetecía salir. Después de comer, estuve un rato leyendo, hasta que, a eso de las cinco y media, me dirigí al salón. Allí estaba mamá, sentada en su butaca favorita, zurciendo unos calcetines de Alberto. La persiana estaba echada, pero el sol se colaba por las rendijas en forma de hileras de luz y dibujaba sobre el parqué una sucesión de resplandecientes líneas paralelas. En la radio que estaba sobre el aparador sonaba *Lola*, de Los Brincos. Me senté en el sofá y estuve un rato escuchando la canción mientras veía a mamá coser.

—Ya te he comprado el billete de tren —dijo ella, de repente, sin apartar la mirada del hilo y la aguja—. Saldrás para Santander el próximo viernes.

—Vale —contesté.

Supongo que mamá esperaba alguna resistencia por mi parte, pues me miró de soslayo y preguntó:

—¿Te pasa algo?

—No, estoy bien —hice una larga pausa y agregué—: ¿Cómo es tía Adela?

—Estuvimos en su casa hace unos años, ¿no te acuerdas?

Sacudí la cabeza.

—Lo único que recuerdo es que era muy guapa.

—Y lo sigue siendo —mamá arqueó una ceja—. Cuando éramos jovencitas, ella se llevaba a los chicos de calle. Era desesperante; mi hermana mayor me quitaba todos los novios.

—¿Os llevabais mal?

—De jóvenes sí; supongo que la envidiaba. Luego,

aprendimos a respetarnos y todo fue mejor entre nosotras.

—Pero no os veis mucho.

—Nos escribimos y hablamos por teléfono con frecuencia. Lo que pasa es que nuestras vidas tomaron
rumbos diferentes. Ella se casó con Luis, se trasladó a
Santander y, poco a poco, fuimos perdiendo el hábito
de vernos.

—¿Y tío Luis, cómo es?

Mamá sonrió con ironía.

—Luis Obregón pertenece a una de las familias más
antiguas de Santander. Ahora ha engordado un poco,
pero de joven era todo un galán. Es muy simpático,
aunque siempre ha estado algo loco y, con los años, se
ha ido volviendo cada vez más excéntrico. Te caerá
muy bien, ya verás.

—¿A qué se dedica?

—Es ingeniero industrial. Hace unos años inventó
no sé qué y ahora vive de las rentas que le producen sus
patentes.

Vaya, así que tenía un tío inventor...

—¿Y cómo son sus hijas? —pregunté con calcula-
da indiferencia.

Mamá dejó el calcetín que estaba zurciendo sobre
el regazo.

—Esta primavera, Adela me mandó una foto de las
niñas —señaló la librería—. Está en ese álbum verde.
Tráemelo, por favor.

Cogí el álbum y se lo entregué a mamá. Ella lo abrió
y fue pasando las páginas hasta encontrar lo que bus-
caba.

—Aquí está. Míralas.

Contemplé la fotografía que me mostraba mi madre: cuatro chicas situadas en un jardín, frente a un vetusto caserón de tres plantas. Todas eran rubias y —¡Alberto tenía razón!— todas eran guapísimas.

—Ésta es Rosa, la mayor —dijo mamá, señalando la foto con el dedo—. Ahora debe de tener dieciocho años.

Rosa era la más alta de las cuatro y, aunque llevaba un vestido amplio que le llegaba hasta los tobillos, se notaba que era delgada y esbelta. Tenía el pelo largo, los ojos azules y un rostro armonioso. Creo que, hasta entonces, nunca había visto a una mujer tan guapa.

—Y ésta es Margarita —señaló mamá—. Tiene dieciséis... No, ya debe de haber cumplido diecisiete años.

Margarita era un poco más baja que Rosa. Vestía pantalones de pana y jersey de cuello alto. Tenía el pelo del mismo tono que su hermana mayor, pero lo llevaba más corto, en forma de media melena. Usaba gafas de montura metálica y lentes redondas, como las de John Lennon.

—Ésta es Violeta —prosiguió mamá, desplazando el índice sobre la foto un par de centímetros a la derecha—. Tiene tu misma edad. Nació en febrero del 54, lo recuerdo bien; dos meses antes que tú.

Violeta tenía el pelo más oscuro que sus hermanas y lo llevaba muy corto y revuelto. Vestía como un chico —pantalón vaquero y camisa de cuadros escoceses—, pero tenía un rostro demasiado bonito para que su sexo se prestara a confusión. Era la única que no sonreía; en sus ojos, también azules, había un deje de fastidio, como si no le gustase que la fotografiaran.

—Y por último, Azucena, la más pequeña de la familia. Si no recuerdo mal, acaba de cumplir doce años.

En cierto modo, Azucena era la más guapa de todas, pero su belleza aún era una promesa por confirmar, pues todavía no se había desarrollado plenamente. Vestía una blusa blanca y una falda plisada, llevaba el pelo recogido en una coleta, tenía los ojos enormes y sonreía a la cámara con timidez.

De modo que ésas eran mis primas... Permanecí unos segundos contemplando aquel retrato de grupo, intentando imaginar cómo serían sus voces, su olor, su forma de ser. Todas ellas se parecían mucho entre sí, pero al mismo tiempo eran muy distintas, como si fueran diferentes versiones de un mismo tema. Señalé el edificio que se encontraba a su espalda y pregunté:

—¿Ésa es su casa?

—Sí, Villa Candelaria. Cuando estuvimos en Santander vivimos allí. ¿No te acuerdas?

Me encogí de hombros.

—Un poco —respondí—. Parece muy vieja.

—Y tanto. Se construyó hace más de siglo y medio.

Mamá cerró el álbum y lo dejó sobre la mesa. Luego, cogió el calcetín de Alberto y se puso de nuevo a zurcirlo. Unos segundos más tarde, comentó:

—¿Sabes?, a comienzos de siglo los Obregón eran muy ricos.

—¿Y ya no lo son?

—Se arruinaron durante la guerra. No es que sean

pobres; al contrario, Luis se gana muy bien la vida. Pero el apellido Obregón ya no tiene el lustre de otros tiempos.

—¿Qué les pasó?

Mamá dio una última puntada al calcetín y cortó el hilo con los dientes.

—¿Has oído decir eso de que todas las familias esconden un esqueleto en el armario? —preguntó mientras guardaba el huevo de zurcir en el costurero—. Pues el esqueleto de los Obregón se llama las Lágrimas de Shiva.

—Las Lágrimas de Shiva... —repetí—. ¿Qué es eso?

Mamá esbozó una sonrisa enigmática y me miró con socarronería.

—Es una historia muy antigua y muy misteriosa —dijo—. Pero no te la voy a contar; cuando estés en Santander, pregúntaselo a ellos. Y pregúntales también por Beatriz Obregón. Pero será mejor que lo hagas con mucha diplomacia, porque el asunto, aunque sucedió hace casi setenta años, sigue levantando ampollas.

* * *

La semana que precedió a mi partida estuvo marcada por ese tedio suave y sensual que, con el comienzo del verano, poco a poco lo iba invadiendo todo. Me levantaba tarde, veía la televisión —mis series favoritas eran *Los Vengadores* y *Jim West*—, leía en la terraza o salía con mis amigos.

Por aquel entonces, mis dos mejores amigos eran Tito y José Mari. Nos conocíamos desde el parvulario, habíamos crecido juntos y no tardamos en convertirnos en un triunvirato inseparable. Solíamos ir juntos al cine, o a la piscina, o a los billares, o sencillamente dábamos largos paseos por la ciudad, sin rumbo fijo, hablando de todo y de nada. No sé cuánto hay de mí en ellos, pero estoy seguro de que su amistad contribuyó, en gran medida, a conformar la clase de persona que ahora soy.

El jueves por la tarde —la víspera de mi viaje a Santander—, salimos a dar un paseo. Durante una hora deambulamos perezosamente por las calles, sin hacer nada en particular ni hablar mucho. Por algún motivo —quizás a causa de nuestra próxima separación—, nos mostrábamos taciturnos y desanimados, y al final acabamos sentados en un banco, discutiendo cuáles eran los mejores tebeos, *El hombre enmascarado*, *Asterix* o *Flash Gordon*. José Mari abogaba también por *Mortadelo y Filemón*, pero yo zanjé el debate declarando que las mejores historietas de todos los tiempos eran, sin lugar a dudas, *Las aventuras de Tintín*. Todos convenimos que ésa era la Verdad Absoluta y, acto seguido, nos sumimos en un prolongado silencio.

Al cabo de cinco largos minutos, Tito tuvo una insólita idea: celebrar una carrera de chapas. No jugábamos a las chapas desde que éramos unos críos, pero, de pronto, aquello nos pareció el mejor plan posible. Así que, con un trozo de yeso, dibujamos sobre la acera un intrincado circuito y pasamos la siguiente hora intentando conseguir que nuestras chapas de Coca-Cola fueran las primeras en cruzar la línea de meta.

Entonces ocurrió algo extraño. Fue como si, de pronto, volviéramos a la niñez. El abatimiento se disolvió en un estallido de alegría y dedicamos el resto de la tarde a hacer las mismas cosas que hacíamos cuando teníamos once o doce años. Jugamos a pídola, trepamos por andamios, fuimos perseguidos por airados porteros, celebramos un partido de fútbol con una lata e, incluso, practicamos el tiro de piedras entre los escombros de un solar.

Creo que fue la última vez que disfruté de la vida como un niño, sin preocupaciones y con total inocencia. Más adelante, cuando, después del verano, Tito, José Mari y yo volvimos a reunirnos, las cosas fueron muy distintas. Tanto ellos como yo habíamos crecido por dentro y nuestros intereses estaban cada vez más alejados de lo que nos divertía cuando éramos niños. Hubo otros muchos buenos momentos, por supuesto, pero ninguno fue tan radiante, tan jubiloso y pletórico, como aquella tarde que pasamos juntos, jugando a ser pequeños otra vez.

A las diez de la noche, tras despedirme de mis amigos —con esa tosquedad que empleamos los hombres cuando nos ponemos sentimentales y no queremos que se nos note—, regresé a casa. Mamá ya me había hecho el equipaje, así que me limité a meter en la maleta un par de docenas de libros. Eran todos de ciencia ficción, mi género favorito. Escogí novelas de Isaac Asimov, de Arthur C. Clarke, de Robert Heinlein, de Clifford D. Simak o de Fredric Brown, y, mientras lo hacía, pensaba que aquellas lecturas no podían ser más adecuadas pues, en cierto modo, aquel verano sería un verano de ciencia ficción. En julio de 1969, el hombre llegaría a la Luna.

Me fui a la cama poco después de cenar. Estaba cansado, pero tardé mucho en conciliar el sueño. Me sentía inquieto y notaba una especie de vacío en el estómago. Era como si me hubiesen robado algo y, al mismo tiempo, un regalo extraordinario estuviera esperándome en algún incierto recodo de mi futuro.

2. *Villa Candelaria*

A primera hora de la mañana, mamá y Alberto me acompañaron a la Estación del Norte y, después de facturar la maleta, se quedaron conmigo en el andén para hacerme compañía hasta que el tren partiese. Mamá me entregó una bolsa con dos bocadillos para el viaje —uno de tortilla y otro de jamón—, y acto seguido procedió a impartirme una larga retahíla de recomendaciones y advertencias. Que fuera educado, que obedeciera a los tíos, que masticara la comida en vez de abrevar, que no me bañara en la playa si había bandera roja, que me abrigara por las noches, que la llamara si necesitaba algo, que me lavara los dientes todos los días...

Creo que hubiera podido seguir así durante horas y horas, de no ser porque el silbato del tren reverberó en la estación anunciando su próxima salida. Entonces, mamá se abrazó a mí y, sin poder reprimir unas lágrimas, me dio dos besos y me recomendó que me cuidara mucho. Luego, para mi sorpresa, Alberto me pasó un brazo por los hombros y me llevó a un aparte. Pero no se trataba de un gesto de cariño fraternal; eso difícilmente podía esperarse de mi hermano, como quedó claro cuando me susurró al oído:

—Escucha, capullo: si cuando vuelvas me traes unas bragas usadas de Rosa, te doy veinte duros.

Me aparté de él y le contemplé con franco desdén.

—Estás más salido que un mono —le dije.

Alberto sonrió de oreja a oreja.

—Sí, chaval, pero este mono paga al contado.

El silbato volvió a sonar. Subí apresuradamente al vagón y me asomé por la ventanilla justo cuando el tren se ponía en marcha. Mamá, de pie en el andén, agitaba una mano despidiéndose de mí, mientras que con la otra se enjugaba las lágrimas. Detrás de ella, Alberto me hacía muecas y gestos obscenos. Yo me quedé asomado a la ventanilla, diciendo adiós con la mano, mientras sus figuras se empequeñecían en la distancia. Luego, cuando se perdieron de vista, suspiré con un poco de tristeza y fui en busca de mi asiento.

El viaje al Norte había comenzado.

* * *

Poco cabe decir de aquel viaje. Pasé gran parte de la mañana leyendo una novela de ciencia ficción —*Universo de locos*—, y el resto del tiempo lo dediqué a mirar por la ventanilla, aunque el paisaje que se divisaba no mostraba más que una interminable sucesión de campos de cereales. De vez en cuando distinguía, a lo lejos, pequeños pueblos de teja y ladrillo, o tractores y cosechadoras faenando en los sembrados, pero el panorama que me acompañó durante la primera mitad del trayecto se parecía mucho a un mar de oro suavemente agitado por un oleaje de espigas.

El tren paraba en cada estación o apeadero que encontraba en su camino, de modo que el viaje se me hizo eterno. Poco después del mediodía, cuando más apretaba el calor, me quedé dormido. Desperté un par de horas más tarde, con la boca seca, sintiéndome pegajoso y entumecido. Me levanté para ir al servicio; luego, le compré al revisor un refresco y regresé a mi asiento para dar buena cuenta de los bocadillos que me había preparado mi madre. Mientras comía, advertí que el paisaje había cambiado por completo. En aquel momento cruzábamos una zona montañosa plagada de bosques, muy diferente a la seca meseta de donde habíamos partido.

Pero eso sólo era un anticipo de lo que me esperaba. Una hora más tarde, conforme nos aproximábamos a las húmedas tierras del Norte, la vegetación se fue tornando cada vez más exuberante. Dejamos atrás las altas montañas y nos adentramos en una región salpicada de pequeños valles tapizados de hierba, un territorio boscoso surcado por numerosos ríos y arroyos. Poco después, comenzó a llover. Me sentí extraño. No recordaba que el Norte fuese tan verde y, acostumbrado a la aridez de Madrid, aquella densa vegetación, semejante a una selva, se me antojaba un paisaje del pasado, como si el tren fuera una máquina del tiempo que me condujera a la época en que los celtas aún poblaban las costas del Cantábrico.

Finalmente, a media tarde, llegamos a la estación de

Santander. Se suponía que mis tíos estarían allí, pero lo cierto es que no había nadie esperándome, así que recuperé mi maleta y me dispuse a aguardar. Poco a poco, el andén se fue vaciando de gente, hasta que me quedé solo. El rumor de la lluvia contra el techo resonaba monótonamente en la estación, confundiéndose con el lejano ronroneo del motor de una locomotora. Abrí mi novela, me senté sobre la maleta y me puse a leer.

—¡Javier! —dijo una voz al cabo de unos minutos.

Volví la cabeza y vi que un hombre se aproximaba a mí con paso rápido. Tenía unos cuarenta y cinco años, el pelo castaño claro, peinado hacia atrás, quizá demasiado largo, y lucía un cuidado bigote que le brindaba cierto aire de galán anticuado. Conforme caminaba, su negra gabardina ondeaba en el aire como la capa de un superhéroe. Era tío Luis.

—Caray, muchacho, lo siento —dijo cuando llegó a mi altura—. Se me fue el santo al cielo y me olvidé de que tenía que recogerte. ¿Llevas mucho tiempo esperando?

—No, qué va, quince minutos o así.

—Perdona, soy muy despistado. Anda, sobrino, dame un abrazo —me palmeó la espalda con energía; luego, se apartó de mí y, manteniendo sus manos sobre mis hombros, me contempló en silencio durante unos segundos—. Ahora debería decirte lo mucho que has crecido —prosiguió—, pero supongo que estarás harto de esa clase de comentarios, así que no diré nada. Vamos, tengo el coche ahí fuera. Déjame que te ayude con la maleta.

Cuando salimos de la estación llovía a raudales. Tío Luis comentó que, hasta el día anterior, había hecho un tiempo excelente, pero no tardé en descubrir que eso era lo que siempre decían los norteños, aunque llevaran semanas padeciendo los rigores de una galerna. No obstante, apenas presté atención al clima local, pues al ver el coche de tío Luis me quedé con la boca abierta. Supongo que esperaba encontrar un utilitario normalito, pero el automóvil resultó ser un deportivo. Un *Jaguar E*, para ser precisos; de color negro, llantas cromadas y con un larguísimo morro que prometía un auténtico raudal de potencia.

—Es precioso... —comenté tras acomodarme en el asiento del copiloto.

Tío Luis sonrió, satisfecho, y acarició con la yema de los dedos la madera del salpicadero.

—Sí que lo es. Se trata del modelo de 1961, el primero de la serie *E*. Motor de tres mil ochocientos centímetro cúbicos, tres carburadores y doscientos sesenta y cinco caballos de potencia. La verdad es que es mi ojito derecho.

Tras decir esto, dedicó una mirada de amante al cuadro de mandos de su vehículo y giró la llave de contacto. El motor rugió con impaciencia, mi tío conectó los limpiaparabrisas, metió la marcha y, acto seguido, con un chirrido de neumáticos, arrancó a toda velocidad.

Por decirlo de algún modo, tío Luis conducía como un loco. Abandonamos el aparcamiento en un suspiro, enfilamos hacia el Paseo de Pereda con un brusco derrapaje y, luego, todo fue aceleración y vértigo. Más tarde descubrí que el mar se encontraba a mi derecha, pero entonces ni siquiera lo vi; estaba demasiado ocupado en apretar los dientes y agarrarme al asiento. Durante el trayecto, mientras conducía dando bruscos volantazos y súbitas frenadas para sortear el tráfico, tío Luis no dejaba de hablar. Se interesó por la salud de mi padre y preguntó por mamá y por Alberto, pero yo apenas pude responder con monosílabos, pues tenía un nudo en la garganta y la íntima convicción de que nos íbamos a estrellar en cualquier momento.

Pero no nos estrellamos. Al llegar a la altura de la península de La Magdalena, giramos a la izquierda y, como una exhalación, pusimos rumbo hacia El Sardinero, la zona residencial donde vivían mis tíos. Afortunadamente, tío Luis redujo la velocidad al abandonar la avenida principal y adentrarse en el dédalo de callejas estrechas que se extendía por detrás de la primera línea de playa. Aun así, cuando llegamos a nuestro destino, detuvo el *Jaguar* con un brusco frenazo que me lanzó, primero, hacia delante, y después hacia atrás.

Al bajar del coche las piernas me temblaban. La lluvia había menguado hasta convertirse en un suave chirimiri, pero el cielo seguía cubierto y oscuro. Mientras tío Luis abría el maletero para sacar mi equipaje, me quedé mirando la casa frente a la que nos habíamos detenido. Era un viejo edificio de tres plantas con una pequeña torre en la parte superior. La fachada, pintada de blanco y verde, gravitaba sobre un enorme porche sostenido por cuatro columnas cubiertas de enredaderas. En la segunda planta, a izquierda y derecha, había dos grandes miradores acristalados. El caserón estaba rodeado por un amplio y bien cuidado jardín, con setos de arrayán, multicolores macizos de hortensias y tamarindos de enrevesada copa. Una valla de piedra rodeaba el terreno. En una de las jambas del portalón de entrada había una placa de bronce con un rótulo que rezaba: «Villa Candelaria».

—Vamos, Javier —dijo tío Luis mientras echaba a andar hacia la casa cargando con mi maleta—. Adela estará deseando verte.

Cruzamos la cancela y recorrimos el sendero de grava que atravesaba el jardín y conducía al porche. Así fue cómo, después de tanto tiempo, regresé a la casa de los Obregón.

* * *

Tía Adela se parecía a mamá, pero era mucho más guapa que ella. Tenía el pelo rubio, los ojos azules y un tipo fantástico, sobre todo teniendo en cuenta los cuarenta y tantos años de edad que contaba por aquel entonces. Nuestro reencuentro siguió, puntualmente, todos los pasos establecidos por el Manual de Urbanidad entre Parientes. Me dio dos sonoros besos, me abrazó, comentó lo mucho que yo había crecido, insistió en lo mismo, señalando que estaba hecho todo un hombrecito, volvió a abrazarme, me preguntó por papá, por mamá y por Alberto, me interrumpió al instante diciendo que ya hablaríamos durante la cena, volvió a admirarse de mi altura y me dio otro beso.

Luego, me presentó al resto de la familia. Aquella tarde sólo estaban en casa Margarita, la segunda de las hermanas, y Azucena, la más pequeña. Marga me saludó con un apretón de manos y me contempló con cierta suspicacia, como si quisiera evaluarme antes de concederme su confianza. Era más guapa al natural que en foto, pero las gafas que usaba la hacían parecer un poco distante, como si aquellas lentes redondas fueran un escudo que la separara del mundo y de la gente. En cuanto a Azucena, cuando intenté darle un beso echó a correr y se refugió tras las faldas de su madre sin decir una palabra.

—Es muy tímida —comentó tía Adela—. Pero ya verás lo simpática que se vuelve en cuanto se acostumbre a ti.

Tenía razón, Azucena resultó ser encantadora y muy inteligente. El único problema es que tardó casi tres meses en acostumbrarse a mí.

—Rosa ha salido. Ya la verás esta noche —prosiguió mi tía—. Y Violeta... En fin, cualquiera sabe dónde estará. Esa niña siempre anda a su aire, con la cabeza metida en un libro.

—Bueno, basta de charla —la interrumpió tío Luis—. Javier debe de estar deseando descansar un poco. Anda, sobrino, ven conmigo; te enseñaré tu dormitorio.

La segunda planta albergaba seis habitaciones y dos cuartos de baño. En el ala Norte estaban los dormitorios de mis tíos, de Azucena y de Rosa. Mi cuarto se encontraba en el extremo opuesto, detrás de las escaleras, entre los dormitorios de Margarita y de Violeta.

Era una habitación de unos veinte metros cuadrados, con el suelo de tarima y una ventana que daba a la parte trasera del jardín. Había una cama de madera

—muy antigua, pero con el colchón nuevo—, una mesilla de noche, una silla, una mesa y un viejo armario que olía a lavanda y naftalina. Cuando tío Luis me dejó solo deshice el equipaje, distribuí mis cosas en los diferentes estantes y coloqué mis libros sobre la mesa. Luego, me tumbé en la cama y estuve un rato sin hacer nada, con la mirada perdida en las molduras del techo.

La atmósfera olía mucho a humedad, pero no era un aroma desagradable. Por el contrario, resultaba cálido y acogedor, como si el aire de Santander tuviera más consistencia que el de Madrid. Contemplé los cuadros que colgaban de las paredes —una marina y dos paisajes campestres— y me quedé escuchando el tabaleo de la lluvia. Y poco a poco, sin darme cuenta, me fui quedando dormido.

...

Unos golpes sonaron en la puerta.

—Javier —dijo una voz.

Me desperté, sobresaltado, y salté de la cama.

—¿Estás ahí, Javier? —insistió la voz.

Parpadeé varias veces para espantar el sueño y abrí la puerta. Margarita estaba al otro lado del umbral. Dos chispas de ironía brillaban por detrás de sus gafas.

—¿Estabas dormido? —preguntó.

—No... Sí, creo que sí... ¿Qué hora es?

—Las ocho y media.

¡Había dormido casi dos horas! La verdad es que llevaba todo el día aplastando oreja.

—Dentro de una hora estará la cena —continuó Marga—. ¿Quieres que antes te enseñe la casa?

Le dije que sí, pero lo primero que hice fue ir al cuarto de baño para echarme un poco de agua en la cara, pues aún me sentía un poco amodorrado. Luego regresé junto a Margarita, que me esperaba al lado de la escalera, y comenzó la visita turística.

—Arriba está la buhardilla y el torreón —dijo ella—, pero hay poca luz y mucho polvo, así que ya lo verás otro día. En esta planta están los dormitorios. Ése es el mío; el de enfrente, el de Violeta; y ahí delante están el de Rosa, el de Azucena y el de mis padres. Ven, te enseñaré la planta baja.

El edificio era más antiguo de lo que me había parecido al principio. Tenía los techos muy altos, los suelos de tarima y por doquier había viejas pinturas y antigüedades de toda clase.

—La casa se construyó a principios del siglo diecinueve —me informó Margarita mientras bajábamos la escalera—, cuando los Obregón todavía formábamos parte de la plutocracia local. Algunos de los trastos que estás viendo tienen más de siglo y medio de antigüedad.

Por aquel entonces no conocía el significado de la palabra *plutocracia*. Más tarde consulté el diccionario y averigüé que significa el gobierno de los más ricos. También descubrí que Margarita era comunista, o algo parecido.

El vestíbulo, muy amplio, estaba adornado con panoplias, escudos, un ajado tapiz e incluso una armadura un tanto herrumbrosa.

—Esa escalera conduce al sótano —señaló Margarita—. Ahí tiene papá su taller. Se pasa el día construyendo chismes raros, así que procura no molestarle.

A la derecha, según se entraba desde el porche, una puerta daba acceso al comedor. Era una habitación espaciosa, con un amplio ventanal y una inmensa mesa de roble sobre la que pendía una araña de cristal. Al fondo, otra puerta conducía a la cocina y a la zona de servicio. En el ala Este se encontraban las dos habitaciones más grandes de la casa: la sala de estar y la biblioteca.

El salón, como todo en Villa Candelaria, parecía más un viejo museo que una vivienda. Los muebles, según Margarita, eran de estilo Imperio, y de las paredes colgaban decenas de cuadros pintados al óleo, casi todos ellos paisajes y bodegones, aunque también distinguí algún que otro retrato. Había una enorme chimenea de alabastro y tres grandes ventanales a cuyo través podía verse el jardín. En conjunto, aquella casa parecía rica y lujosa, pero se trataba de un lujo antiguo, no renovado con el paso de los años, un lujo que hablaba más del esplendor de otros tiempos que de la actual situación de la familia. Creo que fue entonces cuando comprendí con precisión lo que era la decadencia.

Pero la mayor sorpresa me aguardaba en la última estancia que visité: la biblioteca. Era tan grande como el salón, pero los únicos muebles que allí había eran un escritorio, una silla y un sillón de lectura. Tres de las cuatro paredes estaban cubiertas hasta el techo por una inmensa librería de cerezo, en cuyos estantes descansaban miles y miles de polvorientos libros antiguos.

En la cuarta pared había un mirador de madera y cristales coloreados, una chimenea y un montón de cuadros, esta vez, todos ellos retratos.

—Aquí tienes la galería de nuestros antepasados —dijo Margarita, señalando con un ademán la pequeña pinacoteca—. Mira, éste es Juan Nepomuceno Obregón. Fue el tipo que, durante el siglo dieciocho, amasó la fortuna de la familia. Era un pirata de mucho cuidado; deberían haberle ahorcado, pero en vez de eso le nombraron Hijo Predilecto de la ciudad —suspiró con resignación y agregó—: Así es la justicia de los burgueses.

El cuadro que señalaba Margarita mostraba el busto de un cincuentón de rostro redondo, mostacho y perilla, vestido con una levita negra en la que destacaba un cuello de encaje que el pintor había reproducido con maníaca minuciosidad. Estaba más bien gordo y sus porcinos ojillos expresaban una mezcla de altivez y mezquindad. Era exactamente la clase de tipo al que uno nunca le compraría un coche usado.

Dediqué unos minutos a contemplar aquella galería de viejos retratos. Todos los hombres y mujeres que allí estaban representados habían sido miembros de la familia Obregón. Tíos, primos, hermanos, sobrinos, abuelos... Se me antojó un poco extraño tener ante mis ojos, en forma de cuadros, el linaje completo de los últimos doscientos cincuenta años de una familia. De hecho, eran tantas las pinturas que casi se me pasó por alto la más importante de todas.

Se hallaba en un rincón, en el extremo más alejado de la biblioteca, perdido entre las imágenes de los an-

tepasados menos importantes. Era un retrato no demasiado grande que mostraba a una mujer sentada,
con las manos descansando sobre el regazo y la mirada perdida a su derecha. Era joven y muy hermosa,
con los rubios cabellos recogidos en un complejo tren-
zado. Vestía un traje blanco, de encaje, a la moda de finales del siglo diecinueve, y el único adorno que
llevaba era un collar de esmeraldas. Pero no fue la belleza de aquella mujer lo que me llamó la atención, sino la sutil expresión de tristeza que se advertía en su
mirada.

—¿Quién es? —pregunté.

Margarita arqueó una ceja.

—Beatriz Obregón —respondió—. La hermana de
mi bisabuelo.

Beatriz Obregón... Aquél era el nombre que men-
cionó mi madre cuando me enseñó el álbum de fotos.
Pero también había dicho otra cosa, algo relacionado
con un dios hindú.

—¿Qué son las Lágrimas de Shiva? —pregunté.

Margarita arrugó la nariz.

—¿Quién te ha hablado de eso? —preguntó a su
vez.

—Mi madre. Pero no me contó nada, sólo me dijo
que os preguntara a vosotros.

—Pues tu madre debe de tener mucho sentido del
humor —comentó con una sonrisa traviesa—. Mira,
será mejor que no les preguntes a mis padres ni por
Beatriz ni por las Lágrimas.

—¿Por qué?

Margarita me contempló unos instantes con ironía,

42

como si supiera algo gracioso que yo ignoraba. Entonces, antes de que pudiera contestarme, se escuchó el lejano repique de una campanilla.

—Es mamá —dijo—. La cena ya está lista. Será mejor que vayamos al comedor —le echó un último vistazo al retrato de su antepasada y agregó—: En cuanto a mi tía-bisabuela Beatriz, el problema es que fue la ladrona de la familia y la culpable de la ruina de los Obregón. Por eso es mejor no hablar de ella.

* * *

Las evasivas respuestas de Margarita me dejaron muy intrigado. ¿Quién fue Beatriz Obregón y por qué era mejor no mencionar siquiera su nombre? Mi prima dijo que había sido la ladrona de la familia, pero ¿qué había robado? ¿Y qué demonios eran las Lágrimas de Shiva?

Antes de ir al comedor, subí a la planta de arriba para lavarme las manos. Estaba a punto de entrar en el baño cuando me percaté de que la puerta de mi dormitorio se hallaba abierta y la luz encendida. Me acerqué al cuarto y descubrí que había alguien dentro. Era una chica de mi edad; llevaba el pelo corto y vestía unos arrugados vaqueros. En aquel momento estaba examinando los libros que yo había dejado sobre la mesa, así que me daba la espalda, pero no tuve necesidad de verle la cara para saber de quién se trataba.

—Hola —la saludé—. Tú eres Violeta, ¿no?

Aunque estaba seguro de que no me había oído llegar, ella no se sobresaltó al escuchar mi voz. En vez de ello, volvió la cabeza lentamente y me miró por encima del hombro, muy seria.

—Y tú, Javier —dijo.

No era una pregunta, y tampoco hizo amago de saludarme, así que me quedé un poco cortado.

—¿Estos libros son tuyos? —preguntó ella tras un incómodo silencio.

—Sí.

Violeta se inclinó y comenzó a leer en voz alta los títulos.

—*Jones el hombre estelar*, *Marciano vete a casa*, *Titán invade la Tierra*, *El día de los Trífidos*... ¿Qué clase de novelas son éstas?

—Ciencia ficción —respondí.

Violeta esbozó una sonrisa que, pese a su brevedad, logró expresar a la vez una desagradable mezcla de altanería, desdén y conmiseración. Creo que fue una de las sonrisas más irritantes que he visto en mi vida.

—Ya me imaginaba que eran algo así —dijo—. ¿A ti te gusta esta clase de cosas?

Pronunció la palabra *cosas* como si estuviera hablando de un saco de estiércol.

—Sí, me gustan —contesté a la defensiva—. ¿Has leído algo de ciencia ficción?

Violeta asintió con un desdeñoso cabeceo.

—*Un mundo feliz*, de Huxley y *1984*, de Orwell. Son las dos únicas novelas de ciencia ficción que valen la pena.

Hablaba con tanta suficiencia que me estaba poniendo de mal humor, pero yo era un huésped y debía comportarme, así que intenté ser educado.

—¿Qué te gusta leer a ti? —pregunté.

—Hemingway, Tolstoi, Lorca, Scott Fiztgerald... En fin, la buena literatura. Pero no te preocupes; puede que dentro de unos años, cuando madures un poco, llegues a leer algo más que historias de marcianitos —echó a andar hacia la salida y puntualizó—: La cena ya está lista, será mejor que bajes al comedor.

Debo confesarlo: al principio, Violeta Obregón me pareció una chica pedante, engreída e insoportable. Exactamente todo lo contrario que su hermana mayor. La conocí durante la cena. Rosa volvió a casa justo cuando nos sentábamos a la mesa. Era muy guapa, aún más que en la foto, pero su belleza no resultaba estridente —como la de las mujeres que aparecían en las revistas francesas prohibidas—, sino discreta y apacible. Aunque sólo tenía dieciocho años, parecía mayor, quizás a causa del tono grave de su voz, o por la casi imperceptible melancolía que destilaba su mirada, o por la gracia y serenidad de su porte. También era simpática y cariñosa, tanto, que me enamoré de ella a los cinco minutos de conocerla. Incluso llegué a pensar que si la reina Ginebra existió alguna vez, debió de parecerse mucho a Rosa, y durante unos segundos fantaseé con la posibilidad de llegar a ser, algún día, el rey Arturo.

Como es natural, mi instantáneo enamoramiento fue más bien abstracto, platónico, como diría mi profesor de filosofía. A ciertas edades, tres años de diferencia suponían un abismo infranqueable, y yo bien lo sabía; pero era imposible no quedar prendado del magnético encanto de Rosa Obregón. De hecho, me pasé toda la velada mirándola de soslayo, en parte por su belleza, pero también porque de pronto me di cuenta de que Rosa se parecía muchísimo a Beatriz, la misteriosa mujer del cuadro.

Hacia el final de la cena, mientras tomábamos el postre, tío Luis me preguntó:

—¿Ya le has echado un vistazo a este viejo caserón nuestro?

—Sí, es muy bonito.

—Está lleno de trastos viejos (como yo, por ejemplo), pero tiene cierto encanto.

—Tú también lo tienes, querido —sonrió tía Adela.

—¿Lo has encontrado todo a tu gusto, Javier? —prosiguió tío Luis—. ¿El dormitorio, la cama, el baño?... ¿Echas algo en falta?

Lo cierto es que sí. Echaba muy, pero que muy en falta algo.

—¿Dónde está la televisión? —pregunté.

Tía Adela y tío Luis intercambiaron una mirada. Violeta me contempló con mal disimulado desdén. Margarita murmuró:

—La televisión es puta propaganda franquista...

—¡Niña! —exclamó tía Adela—. No hay boca bonita con palabras feas. Haz el favor de no decir tacos.

—No tenemos televisión, Javier —me informó Rosa.

—La tele siempre me ha parecido un buen invento mal utilizado —terció tío Luis—. Nunca le he visto la gracia, aunque a la gente parece que le encanta. ¿Hay algún programa que te interese?

46

Me sentía confuso: ¿cómo se podía vivir sin televisión?

—No... Bueno, sí —respondí—. Es que el veinte de julio retransmitirán la llegada del hombre a la Luna...

—Ese rollo del programa Apolo no es más que propaganda imperialista yanqui —sentenció Margarita.

—Desde luego, hija, para ti todo es propaganda —comentó tía Adela.

—No se llega a la Luna todos los días —señaló tío Luis—. Se trata de un acontecimiento importante, no cabe duda, y es lógico que a Javier le apetezca verlo.

—Me encantaría.

—A Javier le gusta mucho la ciencia ficción —intervino Violeta en tono sarcástico—. A lo mejor espera ver un marciano por la tele.

—En todo caso —la corregí con retintín—, sería un selenita.

Tío Luis se rascó la cabeza, pensativo.

—Bueno, no te preocupes —dijo finalmente—. Ya encontraremos la manera de que puedas ver el alunizaje.

Después de la cena nos dirigimos todos al salón, salvo tío Luis, que bajó al sótano para trabajar un rato en su taller. Tía Adela puso un disco de música clásica, se acomodó en una butaca, cerró los ojos y comenzó a seguir la melodía con leves movimientos de la mano derecha. Rosa se sentó a su lado y se puso a hojear una revista de arquitectura, Margarita se enfrascó en la lectura de un libro —*La revolución permanente*, de Trotsky— y Violeta se puso a escribir en un cuaderno. En cuanto a Azucena, se sentó en el suelo, a los pies de su madre, y permaneció todo el rato callada, mirándonos con aquellos enormes ojos suyos.

Mucho tiempo después, al recordar aquel momento, y otros similares, llegué a apreciar en su justa medida la confortable paz que se respiraba en aquella casa. El ritmo vital de los Obregón era distinto al del resto del mundo, más sereno y sosegado, como si el tiempo poseyera, en Villa Candelaria, la textura líquida de un arroyo tranquilo.

Claro que eso lo pensé muchos años más tarde, porque entonces, acostumbrado como estaba a largas sesiones frente al televisor, aquella velada de silencios matizados por la música de Beethoven se me antojó el colmo del aburrimiento. Tras media hora de no hacer nada, me excusé diciendo que estaba cansado y subí a mi habitación.

Después de haber pasado todo el día dormitando, pensé que me costaría mucho conciliar el sueño, pero debía de haberme picado la mosca tsé-tsé, pues nada más meterme en la cama y apagar la luz, me quedé profundamente dormido.

* * *

Unas horas después, ya bien entrada la madrugada, me desperté bruscamente, pasando sin solución de continuidad del sueño a la vigilia. El dormitorio se hallaba a oscuras y en absoluto silencio. Sin embargo, yo tenía la impresión..., no, la certeza de que había alguien más en la habitación. Contuve el aliento y agucé el oído. Al poco, por detrás del remoto batir de la lluvia, escuché, o creí escuchar, el débil sonido de una respiración, cerca, muy cerca de mí. Se me erizó el vello del cuerpo y un escalofrío me recorrió la espalda.

—¿Quién está ahí?... —pregunté en voz alta, aunque mucho menos firme de lo que hubiera deseado.

No obtuve respuesta, pero el sonido de la respiración cesó bruscamente, como si alguien contuviera el aliento. Entonces advertí algo: la atmósfera del dormitorio estaba impregnada de un tenue perfume a flores, algo así como el aroma de los nardos. De nuevo noté un escalofrío. La sensación de que una presencia invisible se hallaba junto a mí fue tan intensa que, durante unos segundos, experimenté un terror ciego e irracional. Tragué saliva e intenté calmarme. Debía de haber alguna explicación lógica; quizás una de mis primas había entrado en el cuarto para gastarme una broma. De hecho, Violeta parecía muy capaz de algo así.

Haciendo acopio de coraje, me incorporé en la cama, tendí la mano y encendí la lámpara que había sobre la mesilla de noche. El súbito resplandor me deslumbró durante unos instantes. Cuando mis ojos se acostumbraron a la luz, comprobé que, aparte de mí, en el dormitorio no había nadie más.

Sentí un inmenso alivio, y al tiempo, una soterrada inquietud. ¿Qué había pasado? Conforme me tranqui lizaba supuse que, al despertarme, mis sueños se habían mezclado con la realidad, que me había influido el ambiente de aquella vieja casa, que todo había sido, en definitiva, producto de mi imaginación.

Sin embargo, cuando apagué la luz, tardé mucho en volver a dormirme, pues aunque fuera un pensamiento absurdo, no podía quitarme de la cabeza que aquella noche alguien o algo me había visitado en mi dormitorio.

3. Perpetuum mobile

Estuvo lloviendo durante una larga semana. Poco se puede hacer en tales circunstancias, y menos cuando uno es un intruso, que era como yo me sentía en Villa Candelaria.

Mis tíos no trabajaban —eran rentistas—, pero cada uno de ellos se dedicaba a sus quehaceres sin prestarme mucha atención. Tía Adela pasaba los días ocupada con las tareas de la casa. Ayudada por Ramona, la asistenta, mantenía limpio y ordenado aquel enorme caserón, e iba a la compra, y cocinaba, y luego, por las tardes, solía ir a tomar café con sus amigas a la terraza cubierta del Rhin, un bar-restaurante situado frente a la playa. Tío Luis pasaba las mañanas fuera y luego, por las tardes, se encerraba en su taller del sótano, de donde no salía hasta la hora de cenar.

No es que me ignoraran, ni mucho menos —tía Adela me enseñó la ciudad y fui un par de veces al cine con tío Luis—, pero ellos eran adultos y yo un adolescente, de modo que pocos planes podíamos hacer en común. En cuanto a mis primas, Rosa asistía a una academia donde recibía clases de matemáticas y dibujo, pues quería prepararse para su ingreso en la Escuela de Arquitectura. Margarita pasaba la mayor parte del día fuera de casa, en compañía de sus amigos revolucionarios, discutiendo, supongo, la teórica forma de acabar con la dictadura. Azucena estaba siempre al lado de su madre y seguía sin hablarme. Y Violeta... Bueno, nuestra relación era un ejemplo perfecto de mutua antipatía. Violeta pasaba la mayor parte del tiempo encerrada en su habitación y, cuando salía de ella, no era precisamente para compartir el tiempo conmigo.

¿Qué hacía yo entre tanto? Aburrirme como jamás me había aburrido. Leía mucho —casi un libro al día— y oía la radio. Cada tarde, en particular, sintonizaba la SER para escuchar *Dos hombres buenos*, una radionovela de aventuras que me encantaba. En cierta ocasión, Violeta me sorprendió oyéndola y, como era de esperar, no desperdició la oportunidad de dejar caer uno de sus ácidos comentarios.

—Veo que tus gustos están mejorando; ahora te dedicas a los seriales. ¿Sabes que en el quiosco venden fotonovelas?

A punto estuve de decirle que José Mallorquí, el autor de *Dos hombres buenos*, era uno de los escritores más famosos de España, pero me callé, porque lo que realmente me apetecía no era hablar, sino estrangularla.

Aparte de las novelas y de la radio, pasaba mucho tiempo en la biblioteca, revolviendo entre los miles de libros que allí había —casi todos ellos ediciones muy antiguas que, por aquel entonces, apenas me interesaban—, y también charlando con la asistenta. Ramona era una cincuentona afable y dicharachera. Estaba gorda, tenía más bigote que yo y era, por resumirlo en dos palabras, muy bruta. Pero también era una mujer muy simpática y le encantaba hablar. De hecho, solía contarme historias del lugar donde nació, el Valle del Pas, una comarca cántabra que, a tenor de sus relatos, parecía recién salida del Neolítico.

Pese al tedio que se respiraba en Villa Candelaria, durante la primera semana se produjeron tres sucesos que, cada uno a su manera, contribuyeron a romper la monotonía de aquellos días lluviosos. El más misterioso de todos fue el tercero, pero no quiero adelantarme a los acontecimientos, de modo que empezaré narrando la extraña escena que presencié el sábado por la noche.

Serían más o menos las doce. Acababa de apagar la luz y estaba en trance de dormirme, cuando escuché un rumor de susurros que parecía provenir del exterior. Intrigado, bajé de la cama, entreabrí las cortinas y miré por la ventana. Al principio no vi nada, sólo la lluvia cayendo mansamente sobre el solitario jardín, pero unos leves ruidos a mi izquierda me llamaron la atención y, al volver la mirada, descubrí que alguien había salido por el mirador del dormitorio de Margarita y ahora descendía hacia el jardín, utilizando el canalón del desagüe como improvisada escala.

Al principio pensé que se trataba de un ladrón, pero no podía ser, pues, en vez de entrar en la casa, estaba saliendo de ella. Por desgracia, la noche era muy oscura y sólo podía distinguir la negra silueta del desconocido, que llevaba un impermeable con la capucha echada. Apenas quince segundos más tarde, el extraño alcanzó el suelo y echó a correr hacia la valla trasera. Cuando llegó allí, se detuvo un instante, volvió la mirada hacia el dormitorio de Margarita y saludó con la mano. Fue entonces cuando, gracias al resplandor de una farola, pude distinguir su rostro. Era Rosa.

Me quedé de piedra. ¿Qué hacía la mayor de mis primas descolgándose furtivamente por un canalón en mitad de la noche? Apenas tuve tiempo de plantearme esa pregunta, pues Rosa se dio la vuelta, trepó ágilmente por la valla, saltó al otro lado y desapareció en la oscuridad. Al poco, escuché el ruido que hacía la ventana de Margarita al cerrarse. Y así acabó todo. Regresé a la cama y me quedé un rato tumbado boca arriba, reflexionando. Sólo se me ocurría una explicación para la insólita escena que acababa de presenciar: Rosa no deseaba que sus padres supieran que había salido de casa. Pero, ¿por qué? ¿Y adónde iba?

Aunque me moría de curiosidad, decidí ser discreto y no preguntar.

* * *

El segundo suceso ni siquiera merece tal nombre, salvo que llamemos suceso a tropezar con la Segunda Ley de la Termodinámica. Ocurrió cuatro días después, el miércoles por la tarde. Tía Adela, acompañada por Azucena, se había marchado a primera hora para hacer unos recados. Rosa y Margarita habían salido y Violeta estaba encerrada en su cuarto, así que la casa se encontraba más silenciosa que nunca. Salvo por la música —un viejo tango de Carlos Gardel— que brotaba del sótano.

Yo aún no había estado en ese lugar y tenía ganas de conocerlo, de modo que, tras pasar media tarde leyendo, dando vueltas y aburriéndome como una ostra, bajé las escaleras que conducían al sótano y llamé a la puerta con los nudillos. Como nadie contestó, abrí y asomé la cabeza por el umbral.

El taller ocupaba un recinto enorme, sin ventanas, y estaba absolutamente atestado de extraños cachivaches. Al fondo había un banco de trabajo iluminado por seis tubos de neón y, a su derecha, un tocadiscos y una vieja nevera. Dos de las paredes se hallaban cubiertas por toda clase de herramientas y utensilios, mientras que los muros restantes estaban ocupados por largos anaqueles de madera sobre los que descansaba una variada gama de indescriptibles artefactos. De mi tío no había ni rastro.

Casi sin darme cuenta de lo que hacía, entré en el taller y me aproximé a los anaqueles que se encontraban a mi izquierda. Allí había una docena de máquinas llenas de engranajes. Una de ellas consistía en una doble rueda giratoria en cuyo perímetro había cuatro pequeñas esferas de cobre. Estaba montada sobre un pie de madera en el que se leía sobre una plaquita: «*Perpetuum mobile* de primera especie».

Enarqué las cejas. Al parecer, aquello era un móvil perpetuo, una máquina que, tras recibir un primer impulso, no se detenía jamás. Pero eso era absurdo...

—Hola, Javier —dijo alguien a mi espalda.

Di un respingo y volví la cabeza. Tío Luis acababa de salir de una pequeña habitación contigua y me contemplaba con una sonrisa.

—Te he asustado, perdona —prosiguió—. Estaba en el almacén, buscando hilo de cobre, y no te he oído llegar.

—Creí que no había nadie —me disculpé—. Ya me voy...

—No, no, quédate. Siempre es agradable un poco de compañía —señaló con un gesto el artefacto que yo había estado examinando y preguntó—: ¿Sabes qué es eso?

—Un móvil perpetuo.

—Exacto. Es la reproducción de un *perpetuum mobile* fabricado en Italia a comienzos del siglo dieciséis. Las esferas están llenas de mercurio y, al girar la rueda, producen el desequilibro que, en teoría, mantendrá la máquina en eterno movimiento. Todos los cacharros que ves son diferentes clases de móviles perpetuos. Ésos que estabas mirando se basan en el desequilibrio; aquellos otros, en el magnetismo, y los del fondo, en la hidráulica. Ése de ahí es invento mío: una rueda excéntrica sobre cojinetes magnéticos en una campana de vacío —sonrió con satisfacción—. Modestia aparte, es bastante ingenioso.

—Pero el movimiento perpetuo no existe —objeté.

—Tienes razón —asintió él—. ¿Y sabes por qué?

—Porque va en contra del segundo principio de la termodinámica.

Tío Luis me contempló con sincera admiración.

—Vaya, muy bien. ¿Te interesa la ciencia?

—Más o menos. Leo mucha ciencia ficción.

—Ah, bueno. Pues todos esos cacharros que tienes delante son pura ciencia ficción, porque no funcionan. Se lo impide el puñetero segundo principio de la termodinámica. ¿Sabes lo que afirma ese principio?

—Que el calor, y toda forma de energía, fluye de donde hay más hacia donde hay menos, hasta alcanzar el punto de equilibrio.

—Sí, señor, y precisamente eso es lo que les pasa a todos los móviles perpetuos: giran y giran hasta que alcanzan su punto de equilibrio y, entonces, se detienen. ¿Sabes?, desde 1911, la Oficina de Patentes de Estados Unidos no acepta ninguna solicitud de patente para una supuesta máquina de movimiento perpetuo. Y con razón.

Tío Luis señaló uno de sus artefactos. Era una rueda de madera montada sobre un eje horizontal, con una serie de ranuras semicirculares a través de las cuales se deslizaban bolas de acero.

—Este móvil perpetuo lo diseñó Leonardo da Vinci, pero tampoco funciona, claro. El propio Leonardo comprendió que se trataba de un empeño imposible y escribió estas sabias palabras...

Mi tío señaló la plaquita que había en la base del artefacto. Me incliné hacia delante y leí el texto que allí estaba grabado: «¡Oh, vosotros, investigadores del movimiento perpetuo! ¡Cuántas quimeras habéis engendrado en esta búsqueda!»

Alcé la cabeza y contemplé aquella curiosa colección de objetos imposibles.

—¿Los has construido tú? —pregunté.

Tío Luis asintió.

—Es una afición como otra cualquiera —dijo casi excusándose—. Un poco rara, pero inofensiva.

Reflexioné unos instantes.

—¿Y por qué lo haces? —pregunté de nuevo—. Quiero decir que, si sabes que el movimiento perpetuo es imposible, ¿por que construyes estos aparatos?

—Pues precisamente por eso —contestó él—, porque es imposible. Verás, el segundo principio de la termodinámica implica que todo, no sólo los supuestos móviles perpetuos, todo, insisto, acabará a la larga por alcanzar su punto de equilibrio. A eso se le llama incremento de la entropía, y significa que tú, yo, la Tierra, el Sol, el universo entero acabará deteniéndose. Si te paras a pensarlo, resulta un principio deprimente. No me gusta, es como una condena a muerte sin posibilidad de indulto —suspiró—. Supongo que, ante una ley universal como ésa, uno debería resignarse, pero a mí no me da la gana quedarme cruzado de brazos. Por eso construyo móviles perpetuos, porque si alguno de ellos, por un milagro, llegara a funcionar, querría decir que el segundo principio de la termodinámica es erróneo... Aunque tú y yo sabemos que no lo es —volvió a suspirar—. Supongo que resulta un poco difícil de entender.

Medité unos segundos. Había cierta lógica en lo que decía mi tío.

—Es algo así como el santo Grial —sugerí—. Los caballeros del rey Arturo lo buscaban, aunque no existiese, porque lo importante es buscar el Grial, no encontrarlo.

Tío Luis alzó las cejas y me contempló con sorpresa.

—Exacto —dijo—. Eres muy listo, Javier; lo has expresado mucho mejor que yo. Mi santo Grial es el *perpetuum mobile*. Vaya, me has dejado de una pieza... Te mereces un premio. ¿Quieres un refresco?

Asentí con un cabeceo. Tío Luis se aproximó a la nevera y sacó dos botellas de Coca-Cola.

—¿Sabes? —dijo mientras bebíamos junto al banco de trabajo—, eres la primera persona que comprende lo que hago. Ni Adela ni mis hijas han entendido nunca que me dedique a fabricar artefactos imposibles. Pero, claro, eso una mujer jamás podrá entenderlo.

—¿Por qué?

—Pues porque las mujeres son más inteligentes que nosotros. Y más pragmáticas. Tienen los dos pies bien plantados en el suelo y les parece una estupidez dedicarse a tareas que no sirven para nada. Y supongo que tienen razón. Pero los hombres, al menos algunos, somos diferentes. Nos gusta soñar, ¿verdad? Por ejemplo, tú mismo. Has dicho que lees ciencia ficción, ¿no? Pues eso significa que eres un soñador. Y yo también lo soy —dio un largo trago a su bebida y guardó unos segundos de silencio—. Ay, Javier, tú no sabes lo que es vivir con cinco mujeres. Seis, si contamos a Ramona.

—Creo que estoy empezando a descubrirlo.

—No, qué va, no tienes ni idea. Y no es que me queje, ni muchísimo menos. Gracias a ellas llevo una vida tranquila y ordenada, pero... El problema es que les gusta demasiado el orden. No sé, cuando me encuentro a su lado siempre tengo la sensación de que estoy haciendo algo mal. Creo que por eso me refugio en este taller. Aquí puedo hacer lo que me dé la gana. Si en vez de poner un destornillador allí, lo pongo aquí, nadie me dice nada, y si decido perder el tiempo construyendo artefactos inútiles, pues es asunto mío. Créeme, Javier, este sótano es el paraíso.

Durante un rato bebimos en silencio nuestras Coca-Colas, directamente del gollete, con largos y circunspectos sorbos. Creo que fue entonces cuando comprendí de verdad lo que significaba la camaradería entre hombres.

—Mamá me contó que eres inventor —dije cuando acabé el refresco.

—Sí, pero no he inventado nada demasiado importante, no te creas. Un freno eléctrico para camiones, un sistema de suspensión hidráulica y cosas así —alzó una ceja, como si de repente hubiera recordado algo—. Ahora que lo pienso, sí que he hecho algo que te puede interesar. ¿Sabes que un componente del tren de aterrizaje del módulo lunar está basado en una patente mía?

Tío Luis procedió entonces a explicarme en qué consistía ese invento. Yo estaba encantado de que alguien de mi familia hubiera contribuido, aunque fuera un poquito, al programa de investigación espacial, pero apenas entendí sus explicaciones, demasiado técnicas para mis escasos conocimientos de mecánica. Al poco, lo reconozco, dejé de escucharle y mi mente comenzó a divagar sin rumbo fijo. De pronto, me acordé de Beatriz Obregón y de las Lágrimas de Shiva, y durante unos instantes consideré la idea de preguntarle a mi tío al respecto; pero la deseché al instante, pues en modo alguno deseaba quebrar los lazos de camaradería que aquella tarde se habían establecido entre él y yo.

Tío Luis concluyó su farragosa charla justo cuando el disco de Carlos Gardel llegaba a su fin. Mi tío se levantó para poner otro disco —esta vez uno de Frank Sinatra—, y yo le eché un vistazo al banco de trabajo, sobre cuya superficie se amontonaban válvulas, diodos, transistores y toda suerte de componentes electrónicos que yo no podía identificar.

—¿Estás haciendo otro móvil perpetuo? —pregunté.

—¿Un móvil perpetuo? —tío Luis paseó la mirada por el banco y sacudió la cabeza—. No, qué va.. Estoy construyendo un... Bueno, es un proyecto nuevo sin demasiado interés —consultó su reloj—. Y ya voy muy retrasado. Creo que debería volver al trabajo.

Comprendí que deseaba quedarse solo, así que me despedí de él y abandoné el sótano.

Aquella noche, probablemente influido por mi charla con tío Luis, soñé con un mundo en el que los pájaros volaban y nunca dejaban de volar, un mundo en el que los ríos fluían sin pausa, en el que el viento arrastraba las nubes por toda la eternidad y el compás de la Luna daba cuerda para siempre al reloj de las mareas. Un mundo, en definitiva, de movimiento perpetuo.

* * *

Y llegamos, por fin, al tercero de los sucesos que acaecieron durante aquella lluviosa semana. Fue el más misterioso de todos y también el más importante, pues, en cierto modo, inició la cadena de acontecimientos que, a la larga, acabarían conduciendo al desenlace de esta historia.

Ocurrió al día siguiente de mi visita al sótano, durante el anochecer. Yo me encontraba en mi dormitorio, sentado frente a la mesa, leyendo una novela de Asimov. Un denso silencio, salpicado por el batir de la lluvia, envolvía la casa. De pronto, escuché el sonido de unos pasos aproximándose por el pasillo, un taconeo de mujer, leve y rítmico, que se detuvo al llegar frente a mi puerta. Alcé la cabeza del libro, pensando que alguien iba a entrar en la habitación, pero eso no ocurrió. Durante los siguientes segundos no hubo más que silencio y quietud.

Sentí un escalofrío. ¿Una mujer se había acercado a la entrada de mi cuarto para quedarse allí sin hacer nada? Me incorporé de golpe, me acerqué a la puerta y la abrí bruscamente. No había nadie. Sin embargo, me pareció advertir un movimiento frente a mí, algo así como el revuelo de una falda al doblar el recodo de la escalinata que conducía al desván. Eché a correr hacia allí, pero al llegar descubrí que aquel tramo de escaleras estaba vacío. Sentí un profundo desconcierto: ¿sufría alucinaciones? Entonces me di cuenta de que en el aire flotaba un débil aroma, un perfume que ya había olido en otra ocasión.

De repente, experimenté la intensa sensación de que alguien me espiaba. Volví la cabeza y vi a Violeta, en el otro extremo del pasillo, mirándome fijamente con una extraña expresión en el rostro.

—La has visto —dijo ella al cabo de unos segundos.

—¿A quién?

Violeta ladeó la cabeza y me miró con aún mayor fijeza, como si yo fuera un jeroglífico difícil de resolver.

—Es increíble —murmuró—. Jamás hubiera pensado que tú, precisamente tú, pudieras verla.

—¿De qué hablas? —protesté—. No he visto nada.

Alzó la cabeza y aspiró por la nariz.

—¿A qué huele? —preguntó.

—A flores...

—A nardos. Pero ahora no es época de nardos.

—Pues será un perfume.

Violeta sacudió la cabeza.

—Ninguna de nosotras usa perfume de nardos. Entonces, ¿de dónde viene el olor?

Me encogí de hombros. La verdad es que aquella conversación tan absurda me estaba poniendo nervioso.

—No tengo ni idea —dije, un poco irritado—. ¿Qué más da a lo que huela?

Violeta tardó unos segundos en contestar.

—Estás mintiendo —dijo finalmente—. La has visto.

Acto seguido, se dio media vuelta y echó a andar de regreso a su habitación.

* * *

¿Qué había ocurrido aquella tarde en la segunda planta de Villa Candelaria? Sinceramente, no lo sé. Oí el sonido de unos pasos y vi, o creí ver, el vuelo de una falda desapareciendo tras la escalera. Más tarde, cuando reflexioné sobre todo aquello, pensé que, si realmente se trataba de una falda, debía de ser muy amplia, de ésas que llegan hasta los tobillos. La larga falda de un vestido blanco. También percibí un aroma, el mismo perfume a nardos que invadió mi habitación la primera noche que pasé en Villa Candelaria, cuando creí escuchar una respiración en la oscuridad.

Evoqué una y otra vez aquellos momentos, intentando recordar algún detalle que me permitiera comprender lo que había sucedido, pero sólo pude llegar a conclusiones absurdas.

¿Había un fantasma en Villa Candelaria?

¿El fantasma de una mujer?

No tenía sentido, claro; los fantasmas no existen. Me estaba dejando sugestionar por aquel viejo caserón, con sus techos altos, sus rincones oscuros y todas las antigüedades que contenía, y eso me hacía ver, oír y oler cosas que no existían. Sin embargo... ¿Por qué tenía la sensación de que Violeta sabía, de algún modo, lo que me estaba pasando? De hecho, la actitud de Violeta hacia mí cambió por completo a partir de ese día, como si después de haber alzado un muro entre nosotros hubiera decidido, por algún motivo, derribarlo.

Al día siguiente —el viernes— amaneció nublado, pero sin lluvia. Desde primeras horas de la mañana hubo en Villa Candelaria un intenso trajín. Tía Adela había decidido encerar los suelos de la casa, así que ella, Ramona y mis cuatro primas, tras apartar muebles y alfombras, se armaron de bayetas y, puestas de rodillas, comenzaron a distribuir sobre la tarima capas y más capas de olorosa cera. Yo me ofrecí a colaborar y me fue asignado el papel de abrillantador: cuando el suelo de una habitación estaba convenientemente encerado, me ponía unos trapos en los pies y comenzaba a patinar de un lado a otro, dejando a mi paso estelas de refulgente brillo.

Más tarde, una vez que la cera hubo sido repartida por todos los suelos, mis primas se calzaron patines de paño y se sumaron con entusiasmo a la tarea de abrillantar. Supongo que ofrecíamos un espectáculo extraño, semejante a un grupo de patinadores deslizándose sobre un helado lago de madera, una estampa de invierno que, paradójicamente, tenía lugar a comienzos de verano.

A última hora de la mañana, cuando el entarimado brillaba como un espejo, tía Adela distribuyó por el suelo hojas de periódico, advirtiéndonos que debíamos desplazarnos por aquellos senderos de papel impreso y que, bajo ningún concepto, podíamos pisar la tarima. Rosa, Margarita y Violeta se dirigieron entonces al piso de arriba, y yo me quedé en salón, medio tumbado en una butaca. Me encantaba el olor de la cera; era cálido y envolvente, y me recordaba a mi propia casa, cuando ayudaba a mamá a encerar los suelos. Cerré los ojos. Estaba cansado y me dolían un poco las piernas, pero era agradable dejarse llevar por aquel dulce sopor...

Advertí un leve ruido de pasos y abrí los ojos.

Azucena, la menor de mis primas, estaba frente a mí, mirándome con fijeza.

—Hola —la saludé.

Azucena no contestó.

—¿Te has divertido patinando?

Azucena asintió.

—¿Sabes? —dije al cabo de un incómodo silencio—, hay algo que me extraña: siempre estás en casa, o con tus hermanas, o con tu madre. ¿No tienes amigos de tu edad?

Azucena se encogió de hombros. Un nuevo silencio.

—Oye, ¿es que tú nunca hablas?

Azucena negó con la cabeza.

—Pues qué bien... —suspiré mientras me incorporaba—. Bueno, Azucena, ha sido un placer charlar contigo, pero apesto a sudor, así que será mejor que me cambie de ropa.

Seguido por la inquietante mirada de mi prima pequeña, abandoné el salón y subí a la segunda planta. Antes de ir a mi habitación me dirigí al cuarto de baño contiguo al dormitorio de Margarita, pues quería asearme un poco, pero no llegué a entrar. De hecho, me quedé paralizado frente a la puerta, sobrecogido, alucinado, estupefacto. El baño estaba ocupado.

En fin, mi estupor no se debía a que el baño estuviese ocupado, claro, sino más bien a la persona que lo ocupaba. La puerta se hallaba entreabierta y, a través de la rendija, podía ver con absoluta claridad a Margarita. Estaba duchándose. Completamente desnuda (como, por otra parte, es natural si uno se está duchando).

Creo que lo que sentí en aquel momento no fue exactamente una impresión erótica —aunque también—, sino estética. Margarita estaba preciosa desnuda, con el pelo revuelto y el agua acariciándole la piel. Parecía, no sé, una ninfa, un hada, una estatua de mármol bajo el surtidor de una fuente. Podría haber estado horas mirándola, y en cierto modo horas me parecieron los escasos segundos que permanecí allí, frente al baño, contemplando su resplandeciente desnudez, pero por fortuna no tardé en recobrar el juicio. Si alguien me descubría haciendo lo que estaba haciendo, difícilmente iba a poder convencerle de que yo no era un asqueroso mirón —de hecho, lo era—, así que, procurando no hacer ruido, me alejé del baño y entré en mi habitación.

Sentía que me ardían las mejillas. Dejando aparte las revistas prohibidas que mi hermano conseguía no sé cómo ni dónde, era la primera vez que veía a una mujer desnuda. Y debo confesar que no podía quitarme esa imagen de la cabeza, como si las doradas curvas de mi prima poseyeran una cualidad magnética que me impidiera apartarlas de la mente. Tan alterado estaba que di un brinco cuando sonaron unos golpes en la puerta.

—¿Quién es? —exclamé con voz demasiado alta y aguda.

—Violeta. ¿Puedo entrar?

Me acerqué en tres zancadas a la puerta y la abrí de par en par.

—¿Qué quieres? —pregunté; estaba hecho un manojo de nervios.

Violeta me miró con curiosidad.

—¿Te pasa algo? —preguntó.

—No, qué va. Estoy muy bien, fenomenal, perfectamente. ¿Por qué lo dices?

—No sé, pareces acalorado.

—Será por el ejercicio. Bueno, ¿querías algo?

Violeta dudó un instante. Luego, se encogió de hombros y me tendió el libro que llevaba en una mano.

—Venía a traerte esta novela —dijo—. No es ciencia ficción, pero he pensado que podría gustarte.

Cogí el libro sin tan siquiera echarle un vistazo a la portada.

—Vale, muchas gracias, lo leeré. ¿Algo más?

—No... —entrecerró los ojos—. ¿Seguro que estás bien?

—Como una rosa —respondí—. Gracias por el libro. Hasta luego.

Cerré la puerta de golpe, enjugué con la manga de la camisa el sudor que me perlaba la frente y me senté en el borde de la cama. Intenté tranquilizarme. Me sentía pillado en falta, como si todo el mundo supiese que había estado espiando a Margarita. Pero eso era fruto de mi imaginación, pensé, nadie me había visto y lo mejor que podía hacer era dejar de darle vueltas al asunto.

Respiré hondo varias veces y sacudí la cabeza para espantar el recuerdo del (maravilloso) cuerpo de mi prima. Al cabo de unos minutos, cuando recuperé mi temperatura normal, me di cuenta de que todavía tenía en las manos el libro que me había dado Violeta. Lo miré: se titulaba *El guardián entre el centeno* y su autor era un tal J. D. Salinger.

Contemplé la novela con desconfianza. El título era muy raro y yo albergaba serias dudas sobre los gustos literarios de mi prima, así que no era precisamente entusiasmo lo que sentía cuando abrí el libro y comencé a leer el primer párrafo.

«Si de verdad les interesa lo que voy a contarles, lo primero que querrán saber es dónde nací, cómo fue todo ese rollo de mi infancia, qué hacían mis padres antes de tenerme a mí, y demás puñetas estilo David Copperfield, pero no tengo ganas de contarles nada de eso.»

Vaya, me dije, un libro que empieza así bien se merecía una oportunidad.

* * *

Volvió a llover por la tarde. Después de comer subí a mi cuarto, me tumbé en la cama y estuve un par de horas leyendo *El guardián entre el centeno*. Aquella novela me había atrapado desde las primeras líneas, y eso a pesar de que apenas tenía argumento. El relato, narrado en primera persona, cuenta la historia de Holden Caulfield, un chico de diecisiete años que, poco antes de Navidad, se fuga del colegio. Y ésa era toda la trama de la novela: los tres días que duraba la fuga del protagonista. Pero, además, aquel relato mostraba los recuerdos, los pensamientos y las emociones de Holden, su confusión, su tristeza y su sentido del humor. Lo cierto es que no podía evitar identificarme con él, y muchas de las cosas que expresaba el personaje, aunque yo nunca las hubiera pensado, pasaban a ser mías al segundo siguiente de leerlas.

Pero había algo más. No tardé en comprender que, cuando Holden Caulfield decía algo, en realidad quería decir otra cosa, como si por detrás del texto escrito hubiera palabras invisibles. En cierto modo, aquel libro eran dos novelas a la vez: una, la que podía leerse, y otra, la que se intuía más allá de la letra impresa. Y eso, creo yo, era lo que prestaba tanta autenticidad al relato, pues la vida, como averigüé con el paso de los años, siempre esconde algo distinto a lo que uno advierte a primer vista.

A eso de las cinco y media, cansado de la soledad del dormitorio, decidí continuar la lectura en la planta baja. Me dirigí al salón y, al llegar, descubrí que allí se encontraban todas las mujeres de la familia; es decir, casi la familia al completo, con la única excepción de tío Luis, quien, a juzgar por la música que surgía del sótano, estaba trabajando en su taller.

Mi tía y sus cuatro hijas componían una estampa apacible, un imagen serena que más adelante, en el recuerdo, siempre asociaría con la calma del verano. Se hallaban muy cerca las unas de las otras, en una esquina, entre el mirador y un gran ventanal (supongo que para aprovechar mejor la luz). Rosa estaba sentada en un sofá, con un gran cuaderno de dibujo sobre las rodillas y un lápiz en la mano. A su lado, tía Adela, armada de hilo y aguja, se dedicaba a bordar sobre una tela montada en un bastidor. Violeta se hallaba tumbada en el suelo, escribiendo con un bolígrafo Bic en uno de sus cuadernos de papel cuadriculado. Azucena permanecía sentada a los pies de su madre, mirándolo todo.

En cuanto a Margarita, la verdad es que me quedé con la boca abierta cuando vi lo que hacía, pues, al igual que su madre, estaba bordando. Margarita Obregón, la rebelde, la izquierdista, la revolucionaria, ¡estaba bordando como una burguesita del siglo pasado! Quién iba a decirlo... Me aproximé a ella y contemplé su labor, una rosa escarlata entre zarcillos de hiedra. Supongo que Margarita debió de advertir la ironía que chispeaba en mi mirada, pues clavó la aguja en la tela, dejó el bastidor a un lado, se levantó, me pasó un brazo por los hombros y me dijo:

—Hombre, primito, me alegro de verte. Anda, ven un momento conmigo, que quiero comentarte una cosa.

Me condujo al recibidor, se detuvo junto a la escalera y me miró sonriente, sus hermosos ojos azules parapetados tras las gafas de John Lennon.

—Supongo que te ha extrañado verme bordar —dijo—. Es natural, no encaja con mi carácter. Pero me gusta bordar, qué voy a hacerle. Es una afición como otra cualquiera que me ayuda a relajarme. Claro que alguno que otro podría tomárselo a cachondeo, y eso no me gustaría nada. ¿Comprendes?

—Por supuesto —contesté, reprimiendo a duras penas una risita sardónica.

—Siempre he pensado —prosiguió ella— que hay que ser comprensivo con las debilidades ajenas. Por ejemplo, comprendo perfectamente que esta mañana me estuvieras espiando mientras me duchaba.

Me puse rojo como un tomate y empecé a farfullar, intentando rebatir esa acusación, sin encontrar las palabras adecuadas para hacerlo.

—No, no te molestes en negarlo, Javier, porque, aunque no llevaba las gafas puestas, te vi perfectamente. Además, me da igual, no me avergüenzo de mi cuerpo y tampoco me parece tan malo alegrarle la vista a mi querido primito —hizo una pausa—. Pero quizá tus tíos no sean tan comprensivos como yo, ¿no te parece? Dime, ¿te gustaría que mis padres supieran que has estado espiándome mientras me duchaba?

Sacudí la cabeza, con tanta energía que noté un tirón en el cuello.

—Claro que no —continuó ella—. Y a mí tampoco me gustaría que fueras contando por ahí que me gusta bordar. Lo comprendes, ¿verdad?

Asentí varias veces.

—De acuerdo pues. Ahora, regresemos, primito, no vaya a ser que piensen que estamos haciendo algo feo.

Me guiñó un ojo y echó a andar camino del salón. Y yo me quedé allí, de pie en medio del recibidor, sintiéndome pillado en falta. Sin embargo, quizás a causa de la actitud de Margarita, tan desinhibida, aquello ya no me importó tanto. Regresé al salón unos minutos después y contemplé, por encima de su hombro, el dibujo que estaba realizando Rosa. Era un boceto a lápiz de la habitación con la perspectiva muy fugada.

—Dibujas muy bien —dije.

—Gracias, hago lo que puedo —contestó ella—. Tengo que practicar para el ingreso en Arquitectura —me miró de reojo y, como si de pronto se le hubiera ocurrido una idea, agregó—: ¿Quieres ayudarme? Siéntate en ese sillón, frente a mí; voy a hacerte un retrato.

Hice lo que Rosa me había pedido, pero siempre me ha incomodado posar, así que no sabía cómo ponerme.

—¿Qué hago? —pregunté.

—Quedarte quieto. Ponte a leer si quieres.

Abrí *El Guardián entre el centeno* y reanudé la lectura. Rosa pasó una página de su cuaderno de dibujo, me miró fijamente durante largo rato y luego, con trazos rápidos y precisos, comenzó a desplazar el lápiz por el papel. Poco después, tía Adela se levantó, puso un disco de Bach y siguió bordando. Al cabo de un rato, las nubes se disiparon y la tarde se tornó luminosa. Y así fue cómo, por vez primera, participé del lento ritmo que presidía la vida en Villa Candelaria.

Y creo que también fue entonces cuando realicé un importante descubrimiento. Rosa dibujaba, tía Adela y Margarita bordaban, Violeta escribía, Azucena miraba. Concentradas cada una de ellas en su tarea, no hablaban entre sí, pero de algún modo estaban completamente unidas, como si les bastara el silencio para comunicarse, como si fueran un único organismo. No pude evitar sentir un poco de envidia por aquella armonía, y también tristeza, pues comprendí que yo jamás podría formar parte del íntimo universo que componían esas cinco mujeres. Y eso era así no por ser yo un intruso, sino, sencillamente, por mi condición de hombre.

Aquella tarde también aprendí a apreciar el paso

del tiempo, y a percibir los tenues cambios de luz conforme el sol se desplazaba en el cielo, transformando los colores, prolongando las sombras, mientras la atmósfera iba adquiriendo, poco a poco, la textura de la noche. Fue una tarde mágica e irrepetible. Lo cierto es que leí muy poco, pues de repente todo me parecía digno de ser observado. Rosa me miraba a mí y dibujaba, y yo veía a Violeta escribir, preguntándome qué escribía, y Violeta, de cuando en cuando, me contemplaba de reojo, supongo que para asegurarse de que yo leía la novela que ella me había prestado. Y, entre tanto, Azucena nos miraba a todos.

Poco antes del anochecer, Rosa terminó el retrato y me lo mostró. En él aparecía yo de medio cuerpo, con un libro abierto entre las manos, la cabeza inclinada y mirando de reojo a mi derecha (seguramente a Violeta). El retrato era bueno, muy bueno, pero lo que más me impresionó fue la mirada que Rosa había plasmado en mis ojos, poniendo en ellos una mezcla de asombro y desconcierto que, a mi modo de ver, reflejaba con fidelidad lo que yo era en aquel entonces. Y, supongo, lo que todavía sigo siendo.

Rosa me regaló el dibujo; aún lo conservo y frecuentemente me quedo mirándolo largo rato, para no olvidarme, imagino, de las muchas cosas que aprendí durante ese verano.

* * *

El sábado me desperté muy temprano, pero me quedé en la cama leyendo sin descanso hasta que terminé el libro, y aun entonces permanecí un rato más tum-

74

bado, pensando. *El guardián entre el centeno* me había impresionado como, hasta entonces, pocas lecturas lo habían hecho. Me sentía conmovido, y también un poco más sabio. Había un pasaje, en particular, que sin saber muy bien lo que quería decir, se me antojaba lleno de significados. Antes de levantarme lo releí:

«¿Sabes lo que me gustaría ser? ¿Sabes lo que me gustaría ser de verdad si pudiera elegir? Verás. Muchas veces me imagino que hay un montón de niños jugando en un campo de centeno. Miles de niños. Y están solos, quiero decir que no hay nadie mayor vigilándolos. Sólo yo. Estoy al borde de un precipicio y mi trabajo consiste en evitar que los niños caigan a él. En cuanto empiezan a correr sin mirar adónde van, yo salgo de donde esté y los cojo. Eso es lo que me gustaría hacer todo el tiempo. Vigilarlos. Yo sería el guardián entre el centeno. Te parecerá una tontería, pero es lo único que de verdad me gustaría hacer.»

Resulta un poco raro, ya lo sé, pero exactamente así me sentía yo: como alguien que buscara su sitio en el mundo sin saber muy bien cómo es ese lugar ni dónde se encuentra.

Me levanté muy tarde, de modo que desayuné solo en la cocina, con la intermitente compañía de Ramona, que iba y venía ocupada en sus quehaceres. Luego, tras deambular un rato por la casa en busca de Violeta, sin encontrarla, me dirigí a la biblioteca y allí pasé unos minutos mirando los libros que atestaban los anaqueles de la librería. Casi todos eran ediciones antiguas de obras escritas por autores para mí desconocidos. No tardé, sin embargo, en encontrar un título familiar. Era *Frankenstein o el moderno Prometeo*, de Mary Shelley, una novela que está considerada como el primer libro de ciencia ficción. Aunque había visto películas basadas en esa novela, no la había leído, así que la saqué del estante y, tras sacudirle el polvo, la abrí por el principio.

Era una edición de 1897, con tapas de cartón y un papel grueso y poroso que ahora amarilleaba a causa del tiempo y la humedad. Pero no fue ninguno de esos detalles lo que me llamó la atención, sino lo que aparecía escrito en la primera página con tinta verde y cuidada caligrafía. Era un nombre, Beatriz Obregón Hurtado, y una fecha, 1901.

Me quedé de piedra. ¿Ese libro había pertenecido a Beatriz Obregón, la misteriosa antepasada que, según Margarita, era la ladrona de la familia? Fue como ver, esta vez de forma tangible, un fantasma. Me aproximé al retrato de Beatriz y lo contemplé durante mucho rato, sintiendo una extraña sensación de irrealidad al tener entre las manos un objeto que había pertenecido a esa mujer, como si las décadas que nos separaban hubieran quedado borradas de golpe al compartir, ella y yo, aquel libro.

Entonces, la puerta se abrió y Violeta entró en el salón. Llevaba una camisa muy amplia, con las mangas enrolladas, unos viejos pantalones vaqueros y botas de baloncesto. ¿Por qué se empeñaba, me pregunté, en vestir como un chico?

—Hola —la saludé.

Sin contestarme, Violeta le echó un vistazo al cuadro que yo había estado mirando.

—Es guapa, ¿verdad? —dijo, sin apartar los ojos del retrato.

—Sí, mucho, aunque parece triste —le mostré el ejemplar de *Frankenstein*—. Mira, he encontrado un libro con su nombre.

Violeta se encogió de hombros.

—Hay muchos libros suyos por la casa, casi todos novelas góticas. A Beatriz le gustaban las historias tremebundas, como a ti. Por cierto, ¿ya has leído el libro que te presté?

—Sí, y me ha encantado. Es..., es..., es como si el autor lo hubiera escrito para mí. En fin, no sé cómo explicarlo, pero me ha gustado mucho. ¿No te importa que me lo quede unos días más? Me gustaría volver a leerlo.

Los labios de mi prima iniciaron una sonrisa.

—Te lo regalo —dijo—. Tengo otro ejemplar. Y haces bien en releerlo; yo ya lo he hecho siete veces.

—Pues gracias...

Violeta volvió la mirada hacia el retrato de Beatriz y guardó unos segundos de silencio.

—Creo que es ella —dijo al fin.

—¿Cómo?...

—Beatriz Obregón. Me parece que la viste el otro día.

—¿Te has vuelto loca? Yo no...

—Anteayer —me interrumpió—, cuando nos encontramos en el pasillo, te vi mirando hacia la escalera. Estabas pálido, Javier, y parecías asustado. ¿Qué viste?

En fin, podía haber seguido negándolo todo, pero no

78

parecía que Violeta fuese a reírse de mí —más bien todo lo contrario—, así que al final acabé por hablarle del episodio de la respiración en el dormitorio, de los pasos que escuché tras la puerta y del vuelo de una falda que creí ver en las escaleras. Violeta se quedó pensativa y, tras un prolongado silencio, dijo:

—Siempre es así; nunca aparece del todo —suspiró—. Yo también la he visto, Javier. Muchas veces. Un movimiento que entrevés por el rabillo del ojo y, cuando vuelves la cabeza, ya no hay nada; un reflejo en el cristal de la ventana, una sombra, el sonido de unos pasos, la sensación de que hay alguien a tu lado cuando estás sola... Y siempre, siempre, siempre, el olor a nardos. ¿Y sabes lo más extraño de todo? Nadie más la ha visto, ni mis padres ni mis hermanas —hizo una pausa y agregó—: Bueno, puede que Azucena sí. Hace unos años, cuando era muy pequeña, hablaba de una señora de blanco que venía a visitarla por las noches. Mis padres pensaban que eran fantasías suyas...

—Un momento —la interrumpí—. ¿Estás diciendo en serio que hay un fantasma en la casa?

Violeta desvió la mirada. De repente, parecía avergonzada.

—Creía que sólo yo podía verla. Incluso llegué a pensar que estaba chiflada. Y ahora, de repente, apareces tú y también la ves. Es extraño, la verdad, no sé qué pensar.

—A ver si nos aclaramos —insistí—. Dices que aquí hay un fantasma —señalé el cuadro—. ¿El fantasma de Beatriz Obregón?

Mi prima se encogió de hombros.

79

—No estoy segura, pero creo que sí, que es ella.

Me eché a reír.

—Eso es una tontería —objeté—. Los fantasmas no existen.

Violeta frunció el ceño.

—Entonces, ¿cómo explicas lo que te pasó?

—Yo qué sé. Imaginaciones mías. Pero, ¿fantasmas?... Es absurdo.

—¿Y eso quién lo dice? —replicó ella, airada—. ¿Alguien que sólo lee ciencia ficción?

—La ciencia ficción no trata de fantasmas.

—No, claro, trata de hombrecitos verdes, que es un tema mucho mas serio.

Respiré hondo. Violeta tenía la virtud de sacarme de quicio.

—Cuando leo ciencia ficción —repuse con mal reprimido enfado—, sé que lo que leo es una fantasía. Pero tú me estás hablando de la vida real. Así que hay un fantasma en la casa, ¿no? —le dediqué la más sarcástica de mis sonrisas—. ¿Y por casualidad no has visto gnomos en el jardín?

Violeta encajó la mandíbula y puso los brazos en jarras.

—Tan estúpido es el que se lo cree todo —me espetó, muy, pero que muy enfadada—, como el que no se cree nada, aunque los hechos demuestren lo contrario —resopló—. No sé por qué pierdo el tiempo hablando contigo.

Sacudió la cabeza y echó a andar hacia la salida. Entonces me di cuenta de que estaba siendo injusto. Violeta se había acercado a mí, por primera vez, pensando que compartíamos algo —aunque fuera algo tan ridículo como un presunto fantasma—, y con mi actitud lo único que iba a conseguir era separarnos de nuevo.

—Espera —la contuve—. Vale, perdona, no debería haberme reído de ti —hice una pausa y proseguí—: Vamos a ver, supongamos que hay un fantasma, y supongamos también que es el fantasma de Beatriz Obregón. Entonces, ¿qué quiere? ¿Por qué se dedica a dar vueltas por la casa jugando al escondite?

Todavía malhumorada, Violeta murmuró:

—No lo sé.

—Pues entonces cuéntame algo de Beatriz Obregón. Margarita comentó que era una ladrona, pero no me dijo nada más. ¿Qué hizo esa mujer? ¿Y qué son las Lágrimas de Shiva?

Poco a poco, el semblante de Violeta se fue serenando.

—¿No conoces la historia?

—No.

—Pues te la voy a contar. Pero no aquí. Anda, vamos a dar un paseo.

Dicho esto, se dio la vuelta y echó a andar hacia la puerta. Devolví a toda prisa el viejo ejemplar de *Frankenstein* a su lugar en la librería y fui tras mi prima.

—¿Adónde vamos? —pregunté.

—Al cementerio —contestó Violeta.

4. La extraña historia de Beatriz Obregón

L a mañana era clara y soleada, aunque un poco fresca. El cementerio se encontraba en las afueras de la ciudad, así que tuvimos que coger el autobús. Violeta no dijo nada durante el trayecto y cuando llegamos se limitó a indicarme que la siguiera a través de aquel archipiélago de cruces y lápidas. Finalmente, tras adentrarnos en la zona más antigua del camposanto, se detuvo frente a un mausoleo de mármol negro coronado por la estatua de un ángel y rodeado por una verja de hierro. Sobre la entrada del sepulcro, un letrero trazado a cincel rezaba: FAMILIA OBREGÓN.

—Ahí dentro están enterrados todos los miembros de mi familia desde mediados del siglo diecinueve —dijo Violeta—. Con una excepción.

Giramos en torno a la verja. A espaldas del mausoleo había una solitaria tumba con una sencilla inscripción.

Beatriz Obregón
1879-1901

Al pie de la lápida reposaba un ramillete de flores marchitas. Me volví hacia Violeta con una muda pregunta en la mirada.

—Fue mi bisabuelo Ricardo —me explicó ella—, el hermano de Beatriz, quien decidió que la sepultura no estuviese dentro del mausoleo, sino detrás, apartada de la vista, para demostrar la reprobación de la familia.

Le eché un nuevo vistazo a la inscripción de la lápida.

—Sólo tenía veintidós años cuando murió —calculé—. ¿Qué le pasó?

Violeta se encogió de hombros.

—La tumba está vacía. No hay nadie dentro y nunca lo ha habido.

—¿Y eso?

Mi prima se apoyó contra la verja.

—Será mejor que empecemos por el principio —dijo tras un breve silencio—. Mi tatarabuelo, Teodoro Obregón, tuvo dos hijos: Ricardo, el mayor, y Beatriz. Ricardo se casó pronto, de modo que, a finales del siglo diecinueve, sólo Beatriz y sus padres vivían en Villa Candelaria. Por aquel entonces había en Santander un puñado de familias muy ricas. Los Obregón éramos una de ellas, pero la más poderosa de todas era la familia Mendoza. Pues bien, poco antes del fin de siglo, mi tatarabuelo pactó la boda de su hija Beatriz con Sebastián, el primogénito de los Mendoza.

—¿Todavía había bodas de conveniencia en esa época?

—Sí, por lo menos entre la clase alta. Para don Teodoro, mi tatarabuelo, aquel matrimonio significaba emparentar con una de las mayores fortunas de España. Pero eso no significa que fuese una boda sin amor, al menos por una de las partes. Según dicen, Sebastián Mendoza adoraba a Beatriz.

—Era muy guapa —observé, recordando su retrato.

—Sí que lo era. Sebastián Mendoza estaba tan enamorado de ella que le hizo un regalo de compromiso fabuloso: las Lágrimas de Shiva.

De nuevo aquel nombre.

—¿Qué es eso? —pregunté.

—Tú las has visto. Beatriz las lleva puestas en su retrato.

Hice memoria, intentando recordar los detalles de aquella pintura. ¿Qué llevaba Beatriz Obregón? De pronto, caí en la cuenta.

—El collar... —musité.

—Eso es —asintió Violeta—. Sebastián Mendoza adquirió cinco piedras preciosas procedentes de la India, cinco esmeraldas enormes con forma de lágrima —guardó un breve silencio y, cuando volvió a hablar, lo hizo como si recitase un texto aprendido de memoria—: Según una vieja leyenda, el demonio Ravana

84

odiaba al dios Shiva, pues éste le había traicionado al retirarle el apoyo que le prestaba en su lucha contra el dios Vishnu. Por ello, Ravana decidió vengarse arrebatándole a Shiva lo que más quería: su esposa Durga. Así pues, una noche Ravana entró en la morada de Durga y la asesinó, arrancándole el corazón, el cerebro, los riñones y el hígado. Shiva, al ver el cadáver de su amada, derramó cinco lágrimas. Entonces tuvo lugar un prodigio: las lagrimas se convirtieron en los órganos que Ravana le había quitado a Durga, y así fue cómo ésta resucitó, gracias al amor que le profesaba su esposo —hubo un nuevo silencio—. Bueno, pues ésa es la leyenda que dio nombre a las esmeraldas: las Lágrimas de Shiva. Sebastián Mendoza hizo engarzar las cinco esmeraldas en un collar de oro y brillantes y se lo dio a Beatriz como regalo de compromiso. Aquella joya valía millones, Javier. Era tan maravillosa que, durante una semana, estuvo expuesta en el ayuntamiento para que todo el mundo pudiera verla. Aquel matrimonio se convirtió en el acontecimiento más importante de la ciudad.

—¿Y qué pasó?

—Se fijó la fecha de la boda para el diez de junio de 1901, pero nunca llegó a celebrarse, porque el día antes de la ceremonia Beatriz desapareció.

—¿Desapareció?

Violeta hizo un gesto vago.

—Se esfumó, se largó a la francesa. Pero eso no fue lo malo, pues no sería la primera vez que dejan a un novio plantado al pie del altar. El verdadero problema vino después. Cuando uno de los prometidos rompe su compromiso de boda, está obligado a devolver los regalos, de modo que los Mendoza le exigieron a los Obregón que devolvieran las Lágrimas de Shiva —hizo una pausa y agregó—: Pero el collar también había desaparecido.

—¿Beatriz lo robó?

—Eso fue lo que pensó todo el mundo, que Beatriz se había fugado con el collar. Fue un escándalo. Los Mendoza acusaron de ladrones a los Obregón, hubo pleitos, peleas... Y así hasta hoy.

—¿Y qué pasó con Beatriz?

—Nunca más volvió a saberse de ella. Diez años después, su hermano la dio por muerta y mandó construir esta tumba en su memoria. Pero la puso detrás del panteón, para que todo el mundo supiese que la familia se avergonzaba de ella.

Una ráfaga de viento revolvió sus cortos cabellos. Violeta guardó silencio y yo miré en derredor. El cementerio estaba casi desierto. Tan sólo distinguí, a lo lejos, a una anciana rezando ante una tumba, y a un hombre con un mono de trabajo que se alejaba empujando una carretilla. Volví la mirada hacia el sepulcro de Beatriz y lo contemplé durante unos segundos. Entonces, por primera vez, me fijé en el ramillete que descansaba sobre la lápida. Las flores estaban marchitas, pero no debían de llevar allí más de una o dos semanas.

—¿Quién ha puesto esas flores? —pregunté.

Violeta volvió la cabeza y miró el ramillete con extrañeza, como si hasta ese momento no hubiera advertido su presencia.

—No tengo ni idea —dijo—. Nadie viene nunca por aquí. Qué raro...

* * *

De regreso a Villa Candelaria, Violeta y yo nos dirigimos de nuevo a la biblioteca y, durante unos minutos, contemplamos en silencio la imagen al óleo de Beatriz. Ahora que conocía su historia, aquella mujer me parecía más próxima, pero también más enigmática, como si aquel cuadro, en vez de un retrato, fuera un acertijo. Examiné el collar, que el pintor había reproducido con minuciosidad de orfebre: las Lagrimas de Shiva parecían destellar en torno al cuello de Beatriz, engarzadas en oro y rodeadas de brillantes.

—¿Crees que Beatriz robó el collar? —pregunté.

Violeta dejó escapar un suspiro.

—Eso parece. Está claro que se largó de Santander y empezó una nueva vida en alguna parte. Para hacer eso necesitaba mucho dinero, así que lo más probable es que se llevara el collar y lo vendiera.

Contemplé de nuevo la imagen de Beatriz Obregón.

—Parece tan triste —comenté—. ¿Qué le pasaría?...

Violeta señaló con un dedo el ángulo inferior derecho del cuadro.

—Fíjate ahí —dijo.

Al pie de la firma del pintor, casi imperceptible, había un fecha: *Mayo de 1901*.

—Beatriz —continuó mi prima— estaba a punto de casarse cuando le hicieron este retrato.

—Y no amaba a su novio —completé yo el razonamiento—. Por eso estaba tan triste —sonreí—. De todas formas, podía haberse consolado pensando que llevaba al cuello una millonada.

Violeta me miró con desdén.

—¿Te gustaría que te compraran como a una vaca?

—Hombre, si fueran a darme un collar como ése, me lo pensaría.

Violeta volvió a suspirar, esta vez con resignación, como si yo fuera un caso perdido.

—Desde luego, primito —dijo—, tienes la sensibilidad en el trasero —sacudió la cabeza—. Ella no estaba enamorada de Sebastián Mendoza. Hizo bien en largarse. Fue la más valiente de todos mis antepasados. Desde hace siglos, los Obregón se han quedado aquí, en Santander, sin cambiar nada, haciendo lo mismo que hacían sus padres y sus abuelos, y convencidos de que sus descendientes harían lo mismo. Más que una familia, parecemos un viejo árbol lleno de moho. Beatriz fue la única que se atrevió a hacer lo que le dio la gana.

—Y, según tú, su espíritu ronda por Villa Candelaria. ¿Por qué crees que es ella?

—Bueno, esa aparición..., o lo que sea, parece una mujer, ¿no? El perfume de nardos, los pasos ligeros, la falda que viste en la escalera, todo eso son cosas de mujer. Además... —Violeta titubeó, insegura—. Dicen que los fantasmas son los espíritus de las personas que tienen alguna deuda que pagar en este mundo, y Beatriz la tiene.

Me parecía ridículo estar hablando en serio de esa clase de cosas, pero hice esfuerzos por adoptar una expresión seria.

—¿De verdad crees en fantasmas? —pregunté.

—No, no creo en fantasmas. Lo que creo es que hay un fantasma en Villa Candelaria... —Violeta enmudeció, como si se hubiera dado cuenta de lo absurdo que era lo que acababa de decir—. En fin, no sé. Durante mucho tiempo pensaba que sólo yo la veía, pero ahora... Ahora tú también la has visto, Javier, y eso debe de significar algo.

* * *

Nada extraño sucedió durante los siguientes días, así que no tardé en olvidarme del fantasma que, supuestamente, rondaba por Villa Candelaria. Sin embargo, desde que fuimos al cementerio y ella me contó la historia de Beatriz Obregón, Violeta y yo comenzamos a llevarnos mucho mejor. Nos reuníamos para charlar, o para dar un paseo, o simplemente para escuchar música en el tocadiscos del salón. Al principio, nuestros temas de conversación giraban en torno a la literatura. Intercambiamos con entusiasmo opiniones sobre *El guardián entre el centeno* y también comentamos *Un mundo feliz* y *1984*, pero una vez agotadas estas tres novelas —las únicas que compartíamos—, ella inició una particular campaña en contra de mi afición a la fantasía científica.

Lo soporté con estoicismo, pero al cabo de tres días, cansado de escuchar diatribas contra un género que, en realidad, ella no conocía, decidí contraatacar. Una mañana salí temprano de casa, me dirigí a una librería del centro de la ciudad y compré un ejemplar de *Crónicas Marcianas*, de Ray Bradbury. Ya había leído ese libro, pero no era para mí, sino para regalárselo a Violeta. Aún recuerdo la cara que puso cuando se lo di. Leyó el título con recelo, alzó una ceja y preguntó:

—¿De qué trata esto? ¿De marcianos?

—Sí —asentí con una beatífica sonrisa—, más o menos.

—Gracias, pero... Es que a mí estas cosas no me gustan, ya lo sabes.

—Ya, pero este libro es distinto.

—Es que...

—Léelo, por favor, y así luego podrás ponerlo verde con conocimiento de causa.

Al fin, si bien a regañadientes, Violeta aceptó leerlo. *Crónicas Marcianas* era mi arma secreta contra quienes criticaban la ciencia ficción sin conocerla. No se trata de una novela, sino de una antología de cuentos centrados en la colonización de Marte por la humanidad; pero uno de sus rasgos de originalidad radica en que el punto de vista de los relatos no es el de los terrestres, sino el de los marcianos. Tampoco pretende ser una obra realista —el Marte que describe Bradbury es completamente imaginario—, sino poética, y melancólica, y terriblemente pesimista. Uno de los párrafos del libro dice, refiriéndose a Marte y al hallazgo de una vieja civilización marciana ya desaparecida:

«—No arruinaremos este planeta —dijo el capitán—. Es demasiado grande y demasiado interesante.

—¿Cree usted que no? Nosotros, los habitantes de la Tierra, tenemos un talento especial para arruinar todo lo noble, todo lo hermoso. No pusimos quioscos de perritos calientes en el templo egipcio de Karnak, sólo porque quedaba a trasmano y el negocio no podía dar excesivos beneficios. Y Egipto es una pequeña parte de la Tierra. Pero aquí todo es antiguo y diferente. Nos instalaremos en algún lugar y lo estropearemos todo. Llamaremos al canal, canal Rockefeller; a la montaña, pico del Rey Jorge, y al mar, mar de Dupont; y habrá ciudades con nombres como Roosevelt, Lincoln y Coolidge, y esos nombres nunca tendrán sentido, pues ya existen los nombres adecuados para esos sitios.»

Crónicas Marcianas es un gran libro, la demostración perfecta de que hay mucho más en la ciencia ficción que naves espaciales, monstruos con ojos de insecto y pistolas de rayos. Por eso se lo dejaba siempre a la gente que me criticaba por leer «marcianadas», y por eso, al día siguiente después del desayuno, Violeta me llevó a un aparte y me dijo:

—Ese libro, *Crónicas Marcianas*, es... En fin, no podía imaginarme que la ciencia ficción pudiera ser tan..., tan poética. Me ha gustado mucho, Javier. Gracias por regalármelo. Pero, en realidad, el libro no trata de Marte, ni de los marcianos, sino de la gente normal y corriente.

—Claro —asentí, quizá con un poco de suficiencia—, la buena ciencia ficción siempre es así.

Violeta hizo una larga pausa, como si estuviera dándole vueltas a algo y le costara traducirlo a palabras.

—Son unos cuentos tan tristes —dijo al fin—, con unos personajes tan reales, y esos marcianos que pa-

91

recen fantasmas... ¿Sabes?, creo que esta casa, Villa Candelaria, se parece un poco al Marte del libro: un lugar decadente poblado de fantasmas.

Otra vez dándole vueltas a los fantasmas, pensé; pero no tuve tiempo de decir nada, porque ella recuperó al instante su mejor expresión de «chica-joven-pero-madura-y-culta» y me espetó:

—Vale, *Crónicas Marcianas* es un libro muy bueno, lo reconozco, pero la mayor parte de la ciencia ficción es una mierda.

—Por supuesto —acepté—, pero la mayor parte de todo es una mierda.

Violeta sacó entonces del bolsillo trasero de sus vaqueros un libro y me lo entregó. Era *El viejo y el mar*, de Hemingway.

—Léelo —me dijo—, te va a gustar.

* * *

Me gustó *El viejo y el mar*; es un relato muy hermoso, tan triste y poético como *Crónicas Marcianas*. En cierto modo, ambas obras hablan de lo mismo: de las cosas que desaparecen con el tiempo, como los pétalos de la rosa de ayer.

A partir de entonces, Violeta y yo nos embarcamos en una especie de cruzada literaria: le dejaba un libro y ella me daba otro, al que yo contestaba con un nuevo título que, a su vez, ella correspondía con otra novela. Más que un intercambio de lecturas, parecía un combate, como si cada uno de nosotros quisiera noquear al contrario a base de buenas historias. En el fondo no es de extrañar, pues Violeta era muy compe-

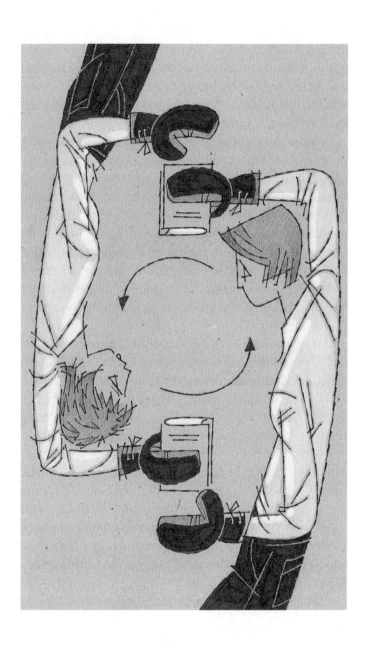

titiva... Y supongo que yo también, aunque en menor grado. Cuando acabé *El viejo y el mar*, le dejé *Ciudad de Simak*, y ella me prestó a continuación *La metamorfosis* de Kafka... Aquel verano fue, también, un verano de buenas y sabias lecturas.

Y precisamente un libro me trajo la primera clave para resolver un acertijo que ni siquiera me había propuesto desentrañar. Entre sus páginas hallé un antiguo mensaje, un breve texto manuscrito tan escasamente importante que, de no ser por el modo en que di con él, apenas le hubiera prestado atención. Pero la forma en que lo descubrí resultó tan extraña, tan misteriosa, que no sólo me vi atrapado por aquellas líneas escritas con tinta verdosa, sino que comencé a sospechar que Violeta tenía razón y, en efecto, una extraña presencia moraba en la casa.

La metamorfosis, de Franz Kafka, narra una especie de pesadilla en la que un hombre, Gregorio Samsa, asiste con indiferencia a su transformación en insecto. Se trata de un relato no muy extenso, de modo que lo leí con rapidez. Al terminarlo, una tarde en la soledad de mi dormitorio, me sentí un poco extraño, como si el texto de Kafka se resistiera a abandonar mis pensamientos. Tía Adela había salido de compras con sus hijas y en Villa Candelaria sólo quedábamos tío Luis —quien, como siempre, permanecía encerrado en su taller— y yo. Aburrido, y sin saber cómo ocupar el tiempo, le eché un vistazo a las novelas que había traído de Madrid, pero ninguna me pareció lo suficientemente atractiva.

Entonces recordé el ejemplar de *Frankenstein* que

había encontrado en la biblioteca. Hacía tiempo que deseaba leer aquel libro, pero nunca me había decidido a hacerlo, quizá porque era una novela muy antigua. Pero aquella tarde me propuse acometer la tarea, así que bajé a la biblioteca, cogí el libro, regresé a mi cuarto y me tumbé en la cama. Abrí la novela por la primera página y le eché un vistazo a la firma que Beatriz Obregón había estampado justo debajo del título. La caligrafía era primorosa de puro anticuada, con los trazos más dibujados que escritos y la letra curvilínea y estilizada. Pensé que ya nadie escribía así; luego, volví la página y comencé la lectura.

Aguanté poco más de hora y media. El *Frankenstein* de Mary Shelley me pareció una novela pesadísima, un auténtico ladrillo. Estaba escrita, además, con un estilo ampuloso y cursi, aunque esto quizá se debiera a la anticuada traducción. Fuera como fuese, llegué a la página sesenta y ya no pude proseguir, así que cerré el libro, lo dejé sobre la mesilla, salté de la cama y me aproximé a la ventana.

Atardecía. El sol, al declinar en el cielo, prolongaba las sombras y teñía de oro la atmósfera del jardín, mientras una suave brisa jugaba con las hojas de los árboles. El conjunto de chalés y caserones que conformaban el barrio de El Sardinero estaba silencioso y tranquilo. Cerré los ojos, extendí los brazos y me desperecé. Entonces, de repente, percibí algo que me erizó el vello de la nuca.

Olía a nardos.

Me volví bruscamente, esperando y a la vez temiendo encontrarme con una aparición, un fantasma, qué sé yo, algo sobrenatural, pero no vi nada raro: la habitación permanecía exactamente igual que antes. Sin embargo, olía a nardos. Contuve el aliento y paseé la mirada lentamente, con detenimiento, por las paredes, el suelo, los muebles, la cama... Entonces lo vi, sobre la colcha, el ejemplar de *Frankenstein* abierto por la mitad. Estaba seguro de haberlo dejado en la mesilla, pero ahora se encontraba allí, encima de la cama.

Con el pulso acelerado, avancé unos pasos y examiné la página por donde estaba abierta la novela. Era el comienzo del capítulo veinte y en los márgenes había unas líneas escritas con la elegante caligrafía de Beatriz Obregón. Las manos me temblaban cuando cogí el libro y comencé a leer el texto trazado con tinta verde.

«En cierto modo, soy semejante al patético monstruo creado por el doctor Frankenstein. No me siento partícipe de este mundo pequeño y mezquino donde he nacido, no pertenezco a ningún lugar y nada tengo en común con aquéllos a quienes, por clase y condición, debería considerar mis iguales. Desgraciadamente, como le ocurre a la criatura del relato, el precio que he de pagar por ser distinta a los demás es la soledad. Desde el mirador donde me encuentro diviso el horizonte azul grisáceo del mar, y me digo a mí misma que allí, al otro lado

del océano, se encuentra mi anhelo secreto, mi libertad.

Esta mañana, al pasar por delante de Las Herrerías, creí ver el Savanna, pero no fue así. Los ojos me engañaron y me sentí muy triste.»

* * *

Cuando, a última hora de la tarde, tía Adela y mis primas regresaron a Villa Candelaria, fui en busca de Violeta, la llevé casi a rastras a mi dormitorio y le conté lo que había pasado. Violeta me escuchó en silencio, muy seria, leyó el texto escrito en los márgenes del *Frankenstein* y, finalmente, me preguntó:

—¿Ya te lo crees?

—¿El qué, lo del fantasma? ¡Pues claro que me lo creo! ¿No te he dicho que dejé el libro sobre la mesilla? Después, me acerqué a la ventana, noté que olía a nardos, me di la vuelta y, ¡zas!, el libro ya no estaba en la mesilla, sino sobre la cama, abierto justo por donde está escrito a mano. ¡Es la repera! —aún estaba muy excitado y tenía serios problemas para dejar de hablar—. Es lo más increíble que me ha pasado nunca. Sólo aparté la mirada unos segundos, quince como mucho, y el libro fue volando de un lado a otro. Tiene que ser algo sobrenatural, tenías razón. Nunca he visto...

—¿Hay algo más escrito? —me interrumpió ella mientras hojeaba el libro.

Sacudí la cabeza.

—No. Lo he comprobado página por página y só-

97

lo he encontrado ese texto. Oye, ¿no deberíamos contárselo a tus padres?

Violeta me dirigió una mirada llena de escepticismo.

—¿Contarles qué? ¿Que hay un fantasma en la casa? Vale, díselo tú, que a mí me da la risa. Ellos no la ven, Javier, ni la oyen, ni huelen su perfume. Pensarían que les estamos tomando el pelo, o que nos hemos vuelto locos.

Mi prima tenía razón: aquello era demasiado increíble para ir contándolo alegremente por ahí.

—Bueno —dije al cabo de unos segundos—, entonces, ¿qué hacemos? Porque no me apetece vivir en una casa encantada, ¿sabes?

Violeta alzó una ceja.

—¿Tienes miedo? —preguntó.

—No. Tengo miedo cuando voy al dentista. Ahora estoy acojonado, que es muy distinto. ¿Es que no has entendido lo que te he dicho? Hay un fantasma, ¡demonios!, y mueve las cosas de un lado a otro. Eso no es normal, caray... Por ejemplo, en mi casa de Madrid no hay fantasmas, ni en las casas de mis amigos. La gente normal no suele tener espíritus en el cuarto de invitados, ¿sabes?...

—Vale, vale, pero tranquilízate. He vivido siempre aquí y nunca me ha pasado nada. Es un fantasma inofensivo —contempló el escrito de Beatriz Obregón y agregó—: Lo que deberíamos preguntarnos es por qué quiere ella que leamos esto.

—¿Para que nos caguemos de miedo? —sugerí.

—No digas tonterías. Beatriz quiere decirnos algo.

98

—Pues podría mandarnos un telegrama.

Violeta ignoró mi comentario y volvió a examinar el ejemplar de *Frankenstein*.

—Según la fecha que hay junto a la firma —comentó, pensativa—, Beatriz leyó la novela en 1901, el mismo año que desapareció...

Dicho esto, mi prima se sumió en un reflexivo mutismo. Al parecer, pensé al cabo de unos segundos, íbamos a jugar a Sherlock Holmes. *El caso de la antepasada desaparecida*, así podría titularse nuestra historia. Me senté en la cama, al lado de Violeta, cogí el libro y volví a leer el texto escrito en el margen.

—Pues no se me ocurre qué demonios pretende decirnos tu tía-bisabuela —comenté—. Vale, sí, que estaba muy triste, que se sentía diferente al resto del mundo y que se moría de ganas de largarse. Pero eso ya lo sabíamos, ¿no? A fin de cuentas, ese mismo año se fue de Santander.

Violeta tardó en contestar.

—Lo único que sabemos es que desapareció —dijo al fin—. Pero eso no significa que se fuera de la ciudad. Quizá la mataron.

—¿Qué?...

—Beatriz desapareció el día antes de su boda, durante la noche que va del nueve al diez de junio. Bueno, pues puede que alguien entrara en su habitación aquella noche y, después de asesinarla, robara el collar. Luego, el asesino se deshizo del cadáver.

Parpadeé con desconcierto; en ningún momento había considerado la posibilidad de un asesinato.

—Y ahora —repuse—, setenta años después, el fantasma de Beatriz se nos aparece para que resolvamos el misterio de su muerte. Demasiado novelero, ¿no?

—¿Por qué? Había un móvil: las Lágrimas de Shiva. El collar estuvo expuesto en el ayuntamiento, así que todo el mundo conocía su existencia. Cualquiera pudo robarlo —Violeta hizo un vago ademán—. De todas formas, sólo son suposiciones. Pudo suceder cualquier cosa —señaló el texto manuscrito—. Pero estoy segura de que Beatriz pretende decirnos algo, y creo que la clave está en el último párrafo.

Bajé la mirada y releí las últimas líneas: «Esta mañana, al pasar por delante de Las Herrerías, creí ver el Savanna, pero no fue así. Los ojos me engañaron y me sentí muy triste.»

—¿Qué es «el Savanna»? —pregunté.

—No tengo ni idea. Y tampoco conozco ningún lugar que se llame Las Herrerías...

De repente, nos quedamos sin saber qué decir.

—Bueno —pregunté—, ¿qué vamos a hacer?

Violeta se encogió de hombros.

—No sé —dijo—. Intentar averiguar qué es el Savanna.

* * *

Aquella noche tardé mucho en dormirme y, cuando lo conseguí, mis sueños fueron inquietos. El incidente del libro me había convencido de que una fuerza sobrenatural moraba en la casa, y aquello me ponía muy nervioso. Aunque *nervioso* no es la palabra adecuada; lo que estaba era asustado.

Por fortuna, Beatriz no hizo acto de presencia, ni

aquella noche ni en los días sucesivos. Sin embargo, el misterio de su desaparición me había atrapado. Intenté volver a comentar el tema con Violeta, pero durante los siguientes días mi prima se mostró reservada y distante, como si no quisiera hablar conmigo. De hecho, apenas estaba en casa, pues salía por la mañana, regresaba a la hora de comer y volvía a irse a primera hora de la tarde.

Así que me quedé solo, con la cabeza llena de preguntas, dudas y temores. Y, para matar el tiempo, comencé una pequeña investigación. Según Violeta, había más libros de Beatriz en la biblioteca, de modo que me puse a buscarlos. Encontré veintitrés, todos ellos firmados y fechados entre 1892 y 1901. En su mayor parte eran novelas góticas —*Melmoth el errabundo, El castillo de Otranto, El monje* y cosas así—, pero también había relatos de aventuras de Stevenson o Conrad, y algunas obras de las hermanas Brontë, Jane Austen o Wilkie Collins.

Desgraciadamente, y aunque los examiné con detenimiento, no encontré en ellos ningún otro texto manuscrito. No obstante, sirvieron para formarme una idea sobre la personalidad de la mujer que los había leído. Beatriz había sido una romántica, una soñadora que deseaba viajar a países lejanos y vivir aventuras exóticas. Esa imagen encajaba, además, con lo que ella misma había escrito en los márgenes del *Frankenstein*, cuando miraba el mar y confesaba que al otro lado del océano se hallaba su «anhelo secreto» y su «libertad». Pero nada de esto tenía importancia, así que no tardé en abandonar mi búsqueda en la biblioteca.

Durante aquella semana hable por teléfono con papá un par de veces. Me dijo que estaba mejor y que tenía muchísimas ganas de volver a verme. Yo también le echaba de menos y charlar con él me llenó de nostalgia. Estábamos a mediados de julio, las lluvias habían cesado y el verano parecía haberse instalado definitivamente en el Norte. Por las mañanas me iba solo a la playa, y por las tardes daba largos paseos a lo largo de El Sardinero, por los jardines de San Roque y de Piquío. Me intrigaba la actitud de Violeta, de repente tan reservada, y no dejaba de darle vueltas al asunto del fantasma de Beatriz, aunque una nueva preocupación comenzaba a desplazar a las demás conforme iba creciendo en mi mente.

Faltaba menos de una semana para el aterrizaje en la Luna, y en Villa Candelaria seguía sin haber televisión. Como no quería perderme aquel acontecimiento por nada del mundo, saqué el tema varias veces durante las comidas, pero nadie me hizo excesivo caso, y lo único que obtuve fue la vaga promesa, por parte de tío Luis, de que ya encontraríamos el modo de solucionar el problema.

Entre tanto, la vida proseguía plácida y monótona en Villa Candelaria. Los días se sucedían con suavidad, sin sobresaltos, como un río profundo y remansado. Y en aquellas aguas tranquilas, los habitantes de la casa nos dedicábamos a nuestros rituales cotidianos, dibujando, escribiendo, leyendo, bordando, construyendo imposibles móviles perpetuos, o escuchando música en el tocadiscos del salón.

El tocadiscos, por cierto, decía mucho sobre la personalidad de los distintos miembros de la familia Obregón. Tía Adela ponía siempre música clásica, sobre todo Brahms y Chaikovski; tío Luis era aficionado a los tangos y a los cantantes norteamericanos —incluido Elvis—; a Rosa le gustaba el *jazz*, pero también Leonard Cohen, Moustaky y Brassens; Margarita, por su parte, se decantaba por los *Rolling Stones*, mientras que Violeta era una fanática de los *Beatles*. En cuanto a Azucena, lo oía todo y seguía sin decir nada.

No obstante, de vez en cuando, algún suceso quebraba la armonía de Villa Candelaria, dejando entrever que no todo era paz y sosiego en aquella familia. Eso ocurrió el martes por la noche. Me encontraba en mi dormitorio, leyendo en la cama, todavía sin desvestir, cuando poco antes de las doce escuché un rumor de susurros que provenía de la habitación de Margarita. Poco después, oí el gemido de una ventana al abrirse y unos débiles ruidos en el exterior.

Intrigado, salté de la cama, miré a través de la ventana e, igual que había ocurrido días antes, vi cómo Rosa se descolgaba por el canalón, cruzaba sigilosa el patio y saltaba la valla trasera. La repetición de aquel extraño comportamiento colmó el vaso de mi curiosidad, así que, olvidando la discreción que debe presidir el proceder de los huéspedes, abandoné mi cuarto y llamé a la puerta de Margarita. Tras unos segundos de espera, la puerta se abrió y mi prima asomó la cabeza por el umbral.

—¿Qué quieres? —preguntó en voz baja, mirándome con recelo.

—¿Sucede algo? —pregunté a mi vez.

—No, no pasa nada. Anda, vuélvete a tu cuarto.

—Pues si no pasa nada —susurré—, ¿por qué ha salido Rosa por la ventana?

Margarita frunció el ceño, dudó unos instantes y, finalmente, abrió la puerta de par en par.

—Vamos, entra —más que una invitación, fue una orden—. Y no hagas ruido.

En el dormitorio también estaba Violeta. Ambas se quedaron mirándome en silencio, con severidad, como si yo fuera un espía al que hubieran sorprendido fotografiando documentos secretos. Un poco intimidado por aquel frío recibimiento, miré a mis primas, luego contemplé la ventana por la que había salido Rosa, me encogí de hombros y pregunté:

—Bueno, ¿qué pasa?

—Nuestros padres no deben saber que Rosa se ha ido —me advirtió Margarita.

—Vale, no diré nada. Pero, ¿por qué?

—Porque no nos dejan salir por la noche —respondió Violeta—. Y Rosa había quedado esta noche con unos amigos.

Me rasqué la cabeza, pensativo. Ahí había algo que no cuadraba.

—Rosa tiene dieciocho años —repuse, me volví hacia Margarita y añadí—: Tú has salido muchas noches, y eres menor que ella.

Margarita rió por lo bajo y se sentó en una silla.

—Si vas a contárselo, Violeta —le dijo a su hermana—, cuéntaselo bien —se volvió hacia mí—. Rosa no ha quedado con unos amigos. Ha quedado con un amigo. Uno muy particular.

104

Violeta le dirigió una mirada de reproche a su hermana. Luego, bajó los ojos y guardó silencio, como si estuviera decidiendo qué hacer, momento que yo aproveché para echarle un vistazo al dormitorio de Margarita. Estaba lleno de libros, casi todos de política y muchos prohibidos por la dictadura (distinguí varios títulos de *Ruedo Ibérico*, una famosa editorial antifranquista que tenía su sede en París). En las paredes había varias reproducciones de cuadros de Picasso —entre ellos, el *Guernica*— y un póster en blanco y negro del Che Guevara.

—Vale, te lo contaré —Violeta tomó asiento en la cama y yo me acomodé a su lado—. Pero de esto —me advirtió—, ni una palabra.

—Soy una tumba.

—Más te vale. Rosa está saliendo con un chico y ha quedado con él esta noche. Ese chico se llama Gabriel Mendoza.

Mi prima me miró con seriedad, como si acabara de revelarme algo cuyo significado fuera evidente. Pero, al menos para mí, no lo era.

—Bueno, ¿y qué? —pregunté.

—Gabriel Mendoza, ¿no lo entiendes? Pero si te hablé de esa familia. Beatriz Obregón iba a casarse con uno de ellos cuando desapareció.

—Ya, pero, ¿qué tiene eso que ver con Rosa?

—Desde que desapareció el collar, los Obregón y los Mendoza no nos podemos ni ver —me explicó Margarita—. Así que su excelencia don Germán, el patriarca de los Mendoza y padre de Gabriel, le ha prohibido terminantemente a su hijo que vuelva a verse con una «perra Obregón», y ésas fueron sus palabras textuales —suspiró con fingida resignación y agregó—: Menudo hijo de puta...

—Y papá le prohibió a Rosa salir con Gabriel —concluyó Violeta.

Miré alternativamente a mis primas. No podía dar crédito a lo que estaba oyendo.

—¿Queréis decir —pregunté— que todo este follón se debe a algo que sucedió hace setenta años?

—La desaparición del collar fue lo que prendió la mecha —dijo Violeta—, pero luego sucedieron muchas más cosas.

—Por ejemplo —señaló Margarita—, durante la Guerra Civil los Mendoza se hicieron muy amiguitos de los fascistas de Franco y, gracias a sus influencias, consiguieron arruinar a nuestra familia. Qué simpáticos, ¿verdad? Deberías ver a Germán Mendoza, Javier; parece que se haya tragado una escoba de lo estirado que es. Se cree más noble que la reina de Inglaterra, pero ¿a que no sabes de dónde viene su fortuna? Del tráfico de esclavos. Los Mendoza se hicieron ricos en el siglo diecisiete, capturando negros en África y llevándoselos encadenados a América para venderlos como esclavos —sonrió con ironía—. Claro que, si vamos a eso, nuestra familia se dedicaba al mismo negocio. El viejo Juan Nepomuceno Obregón también fue un jodido negrero.

—Hace un mes —la interrumpió Violeta—, papá se enteró de que Rosa seguía viéndose con Gabriel. Entonces, se puso hecho una furia y le prohibió salir por las noches.

106

—Y por eso Rosa sale a escondidas de casa —dije—. Para verse con su novio.

—¡Novio! —Margarita profirió una risita sarcástica—. Ésa es una palabra anticuada, primito. Pero sí, supongo que Rosa y Gabriel son novios. Aunque más bien parecen los protagonistas de un melodrama de amores prohibidos, como Romeo y Julieta —volvió a reír—. Montescos y Capuletos, Mendozas y Obregones —sacudió la cabeza—. Nuestra querida hermana mayor es tan, tan, tan romántica, que ha ido a enamorarse de quien más problemas podía traerle.

—No puedes elegir a la persona de la que te vas a enamorar —terció Violeta—. El amor es algo que sucede, no algo que se planea.

Margarita puso los ojos en blanco y unió las manos a la altura del corazón.

—¡Oh, cuán bellas palabras! —dijo, burlona; contempló a su hermana con sorna y agregó—: Pero sólo son palabras. Las mujeres nunca deberíamos consentir que un hombre nos complique la vida. No vale la pena; hay muchos hombres para elegir.

Violeta fulminó a Margarita con la mirada. Tras un breve silencio, se volvió hacia mí y, aunque en realidad le hablaba a su hermana, me dijo:

—Marga no cree en esas chorradas del amor. Ella no tiene novios, sino «camaradas», y el corazón lo reserva para las masas oprimidas, no para las personas. ¿Sabes?, al nombre de Marga le falta una «A»; debería llamarse «Amarga».

—Y a ti te falta una ene, bonita —replicó al instante Margarita—. Deberías llamarte «Violenta».

Se produjo un silencio tan tenso que el aire pareció crepitar de electricidad. Ambas hermanas se contemplaron durante unos segundos con acritud, como dos boxeadores estudiándose antes de iniciar las hostilidades; pero yo no me dejé engañar por aquel conato de discusión. Aunque mis primas eran muy diferentes entre sí, lo cierto es que estaban muy unidas.

Aquello era algo nuevo para mí. Mi hermano Alberto y yo competíamos a todas horas. Supongo que nos queríamos, pero ese cariño se traducía en una enconada rivalidad y cierta tendencia a hacerle la puñeta al contrario a la primera de cambio. Sin embargo, mis primas se ayudaban mutuamente, se guardaban secretos y se protegían las unas a las otras. Incluso cuando discutían, como en aquel momento, acababa prevaleciendo el cariño sobre el rencor, y eso fue lo que sucedió entonces. Margarita distendió el rostro con una sonrisa, se incorporó, tendió una mano, le alborotó el cabello a Violeta y dijo:

—Vale, perdona, soy un poco cardo. Sólo tengo diecisiete años y ya he conseguido convertirme en una solterona malhumorada. Rosa está enamorada de Gabriel Mendoza y no hay que darle más vueltas; sus razones tendrá. Personalmente, Gabriel me parece un poco pasmado, pero no es asunto mío —se volvió hacia mí—. Ni tampoco tuyo, primito. Así que, si no quieres sufrir las iras de las perras Obregón, más te vale mantener la boca cerrada —ahogó un bostezo—. Y ahora largaos, que es muy tarde y me caigo de sueño.

Violeta y yo abandonamos el dormitorio procurando no hacer ruido. Antes de dirigirnos a nuestros respectivos cuartos, mi prima me sujetó del brazo y me dijo en voz baja:

—¿Quieres que vayamos mañana a la playa? He estado haciendo averiguaciones y he descubierto un par de cosas muy interesantes sobre Beatriz Obregón. Por ejemplo, ya sé lo que es el *Savanna*.

—¿Y qué es?

Violeta negó con la cabeza y echó a andar hacia su dormitorio.

—No seas impaciente —susurró—. Te lo contaré mañana, en la playa.

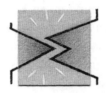

5. Savanna

Al norte de Santander, en El Sardinero, hay dos grandes playas que se unen al bajar la marea. Violeta y yo nos instalamos en la primera de ellas, la que está situada entre los jardines de Piquío y el Gran Casino. La playa se hallaba medio vacía, pues aún no habían llegado las hordas de turistas que más tarde, en agosto, abarrotarían la ciudad, así que nos instalamos cerca de la orilla, en una zona despejada y tranquila próxima a las rocas que nos separaban de la segunda playa.

Llegamos a eso de las once de la mañana y, nada más extender las toallas, le pedí a Violeta que me contara lo que había averiguado, pero ella me dijo que tuviera paciencia, que antes de hablar le apetecía darse un baño y tomar el sol. Yo sabía, sin ningún género de dudas, que lo hacía por picarme la curiosidad, pero no quise concederle el triunfo de oírme suplicar, así que guardé silencio y juntos nos sumergimos en las gélidas aguas del Cantábrico. Estuvimos nadando durante mucho rato, hasta que las yemas de los dedos se nos arrugaron como garbanzos; entonces, salimos del agua y nos tumbamos sobre las toallas.

Nunca me ha gustado mucho tomar el sol. Después de media hora tostándome por ambos lados, me volví hacia Violeta y la contemplé en silencio. Estaba tumbada boca arriba, con los ojos cerrados, como si durmiese, aunque yo sabía que estaba despierta. Tenía el cabello húmedo y revuelto, y su rostro, por lo usual demasiado serio, mostraba en aquel momento una expresión relajada y sensual, como si disfrutase con cada uno de los rayos de sol que incidían sobre su piel. Creo que por primera vez advertí lo bonita que era.

Violeta solía vestir ropas anchas, de chico, pero el ceñido bañador que llevaba puesto ahora revelaba las curvas incipientes de un cuerpo a medio camino entre la niña que fue y la espléndida mujer que, en un futuro no muy lejano, habría de ser. Sin pretenderlo, mi mirada se deslizó por el arco que formaban su cintura y su cadera, y se detuvo unos instantes en la piel del muslo, suave y tersa, cubierta de un vello muy fino y dorado, con textura de melocotón. Luego, contemplé la doble curva de los senos que se insinuaban bajo el bañador, como dos colinas gemelas y... Violeta abrió los ojos.

—¿Qué miras? —preguntó.

De ser un avestruz, habría hecho un agujero en la arena para meter la cabeza dentro. Pero no lo era, así que me limité a sonrojarme y a volver rápidamente la mirada, fingiendo estar absorto en las olas que rompían en la orilla.

—Nada —contesté con toda la indiferencia posible—. Por cierto, ¿cuándo piensas contarme eso que has averiguado?

Violeta se sentó sobre la toalla. Consultó su reloj, se sacudió la arena que tenía adherida en las piernas y dijo:

—¿Recuerdas las flores secas que vimos en la tumba de Beatriz? Pues hablé con mi familia y ninguno de ellos las ha puesto allí. Pero eso no es todo: ayer volví al cementerio y descubrí que había más flores sobre la lápida. Flores frescas, Javier. Alguien sigue llevándole flores a Beatriz.

—¿Y quién puede ser?

—No tengo ni idea.

Aquel asunto era cada vez más raro.

—Bueno, ¿y qué pasa con eso del Savanna? Dijiste que ya sabías lo que era...

—Y lo sé —Violeta sonrió con suficiencia—. Si *Savanna* tuviera una hache al final, sería una ciudad o un río de Estados Unidos. Como no la tiene, es una ciudad de Jamaica: Savanna-la-Mar.

—Ah, claro. Entonces, según lo que escribió Beatriz, iba paseando por Santander y, de repente, creyó ver un lugar del Caribe... Eso es una chorrada, Violeta.

—Claro. Porque *Savanna* también es otra cosa.

Se produjo un largo silencio.

—Oye —dije de mal humor—, ¿me lo vas a contar de una puñetera vez?

Ella sonrió con malicia, se puso en pie y sacudió la arena de su toalla.

—Será mejor que lo veas, Javier —dijo mientras

recogía sus cosas—. Anda, vámonos, que quiero enseñarte algo.

Nos vestimos, abandonamos la playa y cogimos el autobús que conducía al centro, aunque bajamos a mitad de trayecto, al llegar a Puerto Chico. En otros tiempos, Puerto Chico había sido el muelle pesquero de la ciudad, pero ahora estaba casi enteramente ocupado por pequeñas embarcaciones de recreo. Frente a la dársena, en una vieja casa con la fachada jaspeada de verdín, había una tienda de efectos marinos llamada El Cormorán.

Una campanita tintineó cuando Violeta y yo traspasamos su entrada. El interior de la tienda parecía un museo marino: había un viejo traje de buzo, escafandras, sextantes, linternas de latón, peces disecados en las paredes, cronógrafos, compases, antiguas cartas de navegación, catalejos y toda suerte de objetos relacionados con el mar. El local olía a salitre, a brea y a tabaco de pipa.

Un hombre surgió de la trastienda. Debía de tener unos cincuenta años de edad, era de recia complexión y llevaba una chaqueta cruzada azul marino, camiseta de rayas y una gorra de capitán. Tenía el rostro muy moreno, surcado por prematuras arrugas y enmarcado por una cerrada barba entrecana; sostenía entre los dientes una humeante cachimba. En conjunto, parecía un marino de película.

—¡Pero si es la capitana Obregón! —exclamó el hombre, sorteando el mostrador y aproximándose a nosotros con una sonrisa—. ¡Bienvenidos a bordo, capitana y compañía!

—Javier —dijo Violeta—, te presento a Abraham Bárcena, capitán de la marina mercante y propietario de esta tienda.

El hombre me estrechó la mano, con tanta fuerza que creí oír cómo me crujían los huesos de los dedos.

—Encantado de conocerte, grumete. Pero mi amiga Violeta exagera. No soy capitán, sino piloto. Aunque eso no me ha impedido navegar por los siete mares, claro está. Por mis venas la sangre corre mezclada con agua salada y uno de mis antepasados fue un tritón. He atravesado dos veces el Cabo de Hornos y tres el de Buena Esperanza, he dado cinco vueltas al mundo y he cruzado en tantas ocasiones el Ecuador que ya no sé si estoy del derecho o del revés. Los vientos alisios me llevan y la Estrella Polar me guía, la mano firme en el timón y la proa rumbo al horizonte...

Aquel hombre hablaba como el capitán Haddock. Se notaba tanto que interpretaba un papel, y sobreactuaba de tal manera, que no pude contener la risa. Bárcena interrumpió su perorata y me miró fijamente, con la cazoleta de su cachimba humeando como si fuera la chimenea de un vapor. De pronto, estalló en carcajadas.

—¡Vale, chaval, me has pillado! —exclamó—. Hablo así porque les encanta a los turistas. Se creen que están en el tugurio de Long John Silver y compran más género. Pero soy un auténtico marino, ¿eh? Puede que de los siete mares sólo haya navegado por cuatro, y quizá nunca haya atravesado el Cabo de Hornos, pero me embarqué por primera vez a los quince años y he pasado más de veinte en la mar. Luego,

114

mi padre murió y tuve que hacerme cargo de la tienda. Y aquí estoy, como un viejo buque en el dique seco —dio una calada a la cachimba y exhaló una densa nube de humo—. Bueno, marineros, ¿qué puedo hacer por vosotros?

Violeta se volvió hacia mí.

—Abraham —me informó— es una de las personas que mejor conocen los muelles de Santander.

—Esta tienda, El Cormorán —terció Bárcena—, tiene más de cien años. La fundó mi bisabuelo. Al principio era un almacén de artículos de pesca, pero yo lo convertí en un comercio de recuerdos y antigüedades marinas. Qué le vamos a hacer, cada vez hay menos pescadores y más turistas.

—¿Recuerdas lo que escribió Beatriz? —me preguntó Violeta—. Decía que pasó por delante de Las Herrerías. Bueno, pues como no sabía qué era eso, se lo pregunté a Abraham. Y resulta que Las Herrerías fueron los terrenos donde, a finales del siglo dieciocho, se construyó el edificio de la Aduana, en el barrio del Muelle.

—Durante mucho tiempo —dijo Bárcena—, la gente siguió llamando a esa zona Las Herrerías.

—Así que Beatriz estaba paseando por el muelle cuando creyó ver el *Savanna* —mi prima se volvió hacia el dueño de la tienda—. ¿Podrías enseñarle a Javier la foto, Abraham?

—A la orden, capitana. Esperad un momento.

Bárcena se dirigió a la trastienda, para regresar unos segundos después con un álbum en las manos. Lo abrió por la mitad y lo dejó encima del mostrador.

115

—Entre todos los malditos cacharros que abarrotan esta tienda —dijo—, tengo una buena colección de fotografías y postales antiguas de Santander. Mira, grumete, ésta se tomó a finales del siglo pasado.

Me incliné hacia el álbum y contemplé la postal que señalaba Bárcena. Era una vista en blanco y negro de la dársena, con cuatro veleros amarrados al muelle. Miré la foto durante unos segundos y luego me encogí de hombros.

—Bueno, ¿y qué? —pregunté.

Bárcena dio un par de vigorosas caladas a la cachimba antes de ofrecerme un lupa.

—Fíjate bien, marinero. Sobre todo en el navío que está en primer término.

Con ayuda de la lupa, examiné atentamente la no demasiado nítida fotografía. El barco que me había indicado Bárcena era un velero de tres palos. Al principio, no vi nada extraño en él... hasta que advertí el letrero que estaba pintado en la popa: *SAVANNA*.

—El *Savanna* era un barco... —musité.

—Una goleta, para ser exactos —precisó Bárcena.

* * *

El propietario de El Cormorán puso el cartel de cerrado en la puerta y nos invitó a pasar a la trastienda, una pequeña sala atestada de objetos marinos más parecida a un almacén que a un despacho. Preparó café en un hornillo, lo sirvió en tres tazas y se sentó con nosotros en torno a un desvencijado escritorio.

—Anoche me reuní con unos amigos —dijo, tras darle un largo trago a su café—, viejos lobos de mar con muchos años de singladura a las espaldas. Estuvimos en una taberna cercana al puerto, tomando unos vinos y hablando de los viejos tiempos. El caso es que, entremedias de la charla, les pregunté por el *Savanna*, y resultó que uno de ellos, un marino jubilado llamado Braulio Correa, había oído hablar de él —Bárcena hizo una pausa para vaciar de ceniza su cachimba; tras encenderla de nuevo con un fósforo, prosiguió—: Según me dijo, el *Savanna* hacía la ruta de América y se dedicaba al comercio de especias. Por lo visto, fue una goleta muy marinera, rápida como una gaviota, pero... Bueno, por aquel entonces ya era un vestigio del pasado, como las antigüedades de mi tienda. A principios de este siglo, cada vez había más vapores mercantes y menos veleros. Sin embargo, el *Savanna* podía sacarle, en el viaje a América, hasta dos días de ventaja al mejor de los vapores. Al menos, eso dice Braulio, aunque suele exagerar —su mirada se tornó soñadora— . Ésos sí que eran verdaderos marinos, y no como ahora, con tanto motor y tanta gaita. Desde que le dimos la espalda al viento, nos hemos convertido en una mezcla de mecánicos y conductores de autobús.

Bárcena dejó la cachimba sobre la mesa y apuró su taza de un trago. Cogí la mía y le di un sorbo. El café era tan amargo que me rechinaron los dientes, pero me fijé en que Violeta se lo bebía como si tal cosa, así que simulé paladear con deleite aquel brebaje asqueroso.

—¿De quién era el *Savanna*? —preguntó Violeta.

—Del capitán Simón Cienfuegos —contestó Bárcena—. Menudo nombrecito, ¿verdad? Los

117

Cienfuegos eran unos marqueses criollos que vivían desde los tiempos de la nana en Cuba, pero Simón no pertenecía a la rama noble de la familia. A decir verdad, ni siquiera tenía derecho a usar ese apellido, porque era un bastardo y nunca fue reconocido por su padre. El caso es que el capitán Cienfuegos tenía un turbio pasado: nació en Cuba, pero se estableció en Jamaica, que por aquel entonces ya estaba bajo dominio de los ingleses. Según se rumoreaba, durante su juventud se había dedicado a la piratería, pero luego adquirió el *Savanna* y se convirtió en comerciante, aunque imagino que no le hacía ascos al contrabando. Simón el Negro le llamaban.

—¿Por qué? —pregunté.

—¿Pues por qué va a ser, marinero? Porque era negro, o mejor dicho, mulato.

—¿Tu amigo le conoció? —preguntó Violeta.

Bárcena asintió. Luego, sacó del bolsillo una pequeña navaja y comenzó a limpiar con ella la cazoleta de la cachimba.

—Cuando Braulio era niño —dijo—, se lo encontró aquí, en Puerto Chico. Braulio dice que era un mulato enorme, muy fuerte y malencarado, y que sólo verle daba miedo. Pero ese hombre exagera mucho, ya os lo he dicho.

—¿Y qué fue del capitán Cienfuegos? —pregunté.

Sin dejar de limpiar la cazoleta, Bárcena se encogió de hombros.

—A comienzos de este siglo dejó de fondear en Santander. Puede que se retirara, o quizá se lo tragó el mar. No tengo ni idea.

118

Violeta consultó su reloj y se puso en pie.

—Es tarde —dijo—. Tenemos que volver a casa —hizo una pausa y agregó—: Una pregunta más, Abraham. Además de carga, ¿el *Savanna* también transportaba pasajeros?

—No lo sé, pero supongo que sí. En aquella época, casi todos los mercantes solían aceptar pasaje.

Tras despedirnos de Abraham Bárcena, nos dirigimos andando hacia El Sardinero. Violeta caminaba abstraída en sus pensamientos, de modo que permanecimos en silencio durante un buen rato, hasta que, al llegar a la altura del palacio de La Magdalena, me dijo:

—Bueno, ¿qué te parece?

—¿La historia de tu amigo? No sé...

—Pues creo que está muy claro. Beatriz quería irse de Santander, así que adquirió un pasaje en el *Savanna* con destino a América. Probablemente la partida estaba prevista para cierta fecha, pero el barco se retrasó... Por eso ella paseaba por el muelle, y por eso se puso tan triste cuando se equivocó al creer ver al *Savanna*.

—Pero Beatriz era rica y de buena familia —objeté—. ¿Por qué se embarcó en un humilde mercante y, además, a vela? Lo lógico es que se hubiera ido en un vapor de pasajeros, ¿no?

—Santander es una ciudad pequeña, y más lo era entonces. Si hubiese intentado irse en un vapor, lo más seguro es que su familia o los Mendoza se hubieran acabado enterando. No, ella quería irse a escondidas. ¿Y sabes lo que creo que pasó? Que Beatriz se embarcó en el *Savanna* llevándose las Lágrimas de Shiva, y luego, cuando estaban en alta mar, la tripulación la asesinó para quedarse con el collar.

Me rasqué la cabeza.

—¿Y eso de dónde te lo has sacado?

—Está claro. Beatriz desapareció y nunca volvió a saberse de ella. Por otro lado, ese tal Simón Cienfuegos era un pirata, ¿no? Seguro que la asesinó y tiró el cadáver por la borda. Por eso el fantasma de Beatriz quería que viésemos el texto escrito en el ejemplar de *Frankenstein:* para decirnos quién la había matado.

Alcé los ojos y contemplé durante unos segundos las gaviotas que volaban sobre nuestras cabezas.

—Desde luego —dije—, menudas películas te montas.

Mi prima me fulminó con la mirada.

—Pero qué poquita imaginación tienes, Javier —dijo con insufrible suficiencia.

Luego, se dio la vuelta y, sin esperarme, echó a andar de regreso a casa.

De vez en cuando, como en aquella ocasión, a Violeta le daba por tratarme como si yo fuera subnormal. Debo reconocer que, durante un instante, consideré la idea de estrangularla con mis propias manos e, igual que supuestamente había hecho Simón Cienfuegos con Beatriz, arrojar su cuerpo al océano.

* * *

Aquel mismo día, el dieciséis de julio de 1969, la nave espacial *Apolo XI* despegó de Cabo Cañaveral con destino a la Luna. El lanzamiento se retransmitió por televisión y yo lo presencié en una bar cercano a Villa Candelaria. Faltaban cuatro días para el alunizaje, pero éste tendría lugar de madrugada, a unas horas en las que no habría ningún bar abierto donde poder verlo. Y en Villa Candelaria seguíamos sin televisión.

Apenas pude hablar con Violeta durante los siguientes días. Creo que no le había gustado mi reacción al conocer la historia del *Savanna*. Supongo que estaba muy satisfecha de sus pesquisas y que le decepcionó no encontrar en mí la entusiasta respuesta que ella esperaba. Lo cierto es que me importaba muy poco si Beatriz Obregón se había ido de Santander en una goleta, en globo o nadando, y que no podía tomarme en serio las truculentas historias que se había imaginado mi prima sobre asesinatos en alta mar y robos de joyas. Lo único que me preocupaba era la presencia de un fantasma en la casa, y eso no tenía nada que ver con el barco del capitán Cienfuegos.

Fuera como fuese, Violeta sólo se dejaba ver durante las comidas y las cenas. Aunque no abandonaba la casa, tampoco se encontraba en las zonas comunes ni en su dormitorio. Entonces ¿dónde se metía? Lo descubrí el viernes por la tarde, cuando, sin que ella advirtiera mi presencia, la vi en las escaleras que conducían a la planta alta. Aquello me extrañó, pues creía que en el tercer piso sólo había un trastero, así que al día siguiente, tras asegurarme de que Violeta había salido, decidí darme una vuelta por allí.

Ocurrió a media mañana. Abandoné mi cuarto con una linterna y, sigilosamente, comencé a remontar los peldaños que conducían a la planta superior. Mientras lo hacía, recordé que fue precisamente en aquel tramo de escaleras donde vi el revoloteo de un vestido fantasmal, y eso no me dejó del todo tranquilo, las cosas como son. La escalinata acababa desembocando en una pequeña terraza flanqueada por dos puertas enfrentadas.

La puerta de la izquierda conducía al trastero. Era una habitación inmensa, totalmente sumida en la oscuridad, así que encendí la linterna y comprobé que estaba atestada de bártulos: muebles viejos, cajas, paquetes, pilas de revistas, hatos de ropa vieja, toda suerte de objetos, en resumen, que se amontonaban unos sobre otros hasta alcanzar la altura del techo y cubrir toda la superficie de la estancia.

Tras echarle un rápido vistazo al desván, procedí a abrir la puerta de la derecha. Daba al torreón que presidía la casa. En realidad, era un mirador acristalado de planta circular, desde donde se divisaba un amplio panorama de El Sardinero con el mar al fondo. Pero apenas me fijé en la hermosa vista, porque, para mi sorpresa, el interior del torreón estaba limpio, en perfecto orden y amueblado con una silla de madera y un pequeño escritorio sobre el que descansaban una máquina de escribir, carpetas, cuadernos y folios.

Aquello era una especie de despacho. Me aproximé a la mesa: la máquina de escribir era una vieja Underwood; frente a ella había un tarro lleno de lápices y bolígrafos, y al lado, una carpeta con una docena de folios mecanografiados. Al hojearlos descubrí que se trataba de notas y apuntes sobre la vida de Beatriz Obregón, como si alguien se propusiera escribir su biografía.

Cada vez más extrañado, cerré la carpeta y cogí uno de los cuadernos que se amontonaban en un extremo del escritorio. Contenía un texto escrito con caligrafía menuda y apretada. Era un relato de ficción, un cuento, o quizás una novela, no estaba seguro...

—¿Qué demonios haces aquí? —dijo una voz a mi espalda.

Di un respingo y me volví en redondo. Violeta estaba en la puerta, con los brazos en jarras y una amenazadora expresión de reproche destellándole en la mirada.

—Ah, eres tú... —musité, sintiéndome aliviado y, al tiempo, pillado en falta—. Vaya susto me has dado.

—¿Qué haces fisgando en mis cosas? —insistió ella.

No había que ser un lince para darse cuenta de que estaba muy enfadada.

—No sabía que fueran tuyas —me disculpé—. Subí a echar un vistazo y...

Violeta me arrebató el cuaderno de un manotazo.

—Pues sí, son mis cosas —dijo—. Y no me gusta que anden metiendo las narices en ellas. Así que ya te puedes ir largando.

A punto estuve de obedecer sin rechistar, pero ya estaba harto de que mi prima me tratase como a un perro.

—Oye, ¿te pasa algo conmigo? —pregunté, mirándola fijamente a los ojos—. Ya sé que estoy de más en esta casa, y puede que mi presencia te moleste muchísimo, pero si por mí fuera no estaría aquí, te lo aseguro. Mi padre se puso enfermo y mi madre me obligó a venir. Y ahora, ¿te importaría decirme qué narices te he hecho?

—Nada...

—Entonces, ¿qué pasa? Cada vez que no estoy de acuerdo contigo en algo, te pones digna y te dedicas a ignorarme. ¿Tan mal te caigo?

—No, no me caes mal. Es que...

Violeta desvió la mirada. Parecía como si en su interior tuviese lugar un tormentoso debate entre el orgullo y la razón.

—Mis hermanas dicen que tengo mal carácter —repuso al fin—, y debe de scr verdad. Pero es que este lugar es muy especial, ¿sabes?, y no me gusta que entre nadie aquí —esbozó una tímida sonrisa y preguntó—: ¿Tan borde he sido contigo?

Me encogí de hombros.

—Hombre, no has sido doña simpatía precisamente. Pero da igual, creo que podré perdonarte.

—No te he pedido perdón.

—Ya, eso sería mucho esperar —señalé con un gesto la máquina de escribir—. ¿Es tuya?

—Sí.

—¿Te gusta escribir?

Asintió con un cabeceo.

—¿Y qué hay en esos cuadernos? ¿Cuentos?

—Relatos cortos —me corrigió—, apuntes, bocetos y cosas así.

—¿Has escrito alguna novela?

—He empezado muchas, pero no he acabado ninguna.

—Pero cuentos sí... ¿Me dejas leer alguno?

124

—Ni hablar —replicó tajante.

—¿Por qué? Me encantaría leer algo tuyo.

—Nadie lee las cosas que escribo. Estoy empezando, así sólo son ejercicios de práctica. ¿Vale?

—Vale, vale... —observé de reojo la carpeta que estaba junto a la Underwood—. Por cierto, he visto que ahí tienes unos apuntes acerca de Beatriz Obregón. ¿Vas a escribir sobre ella?

Me dirigió una mirada sombría, como si todavía estuviera molesta porque yo hubiera osado hurgar en sus preciados escritos.

—Lo estoy pensando —dijo en voz baja—. Ya veremos.

Volví la cabeza y contemplé el panorama que se divisaba más allá de los ventanales.

—Beatriz escribió que veía el mar desde un mirador —comenté—. Debía de referirse a este lugar.

—Supongo que sí —Violeta recolocó todo lo que había sobre el escritorio (como si yo lo hubiera desordenado, cosa que no era cierta) y agregó—: Bueno, vámonos, que aquí no hacemos nada.

Salimos del mirador y nos dirigimos a las escaleras. No recuerdo que en aquel momento pensara nada en concreto, quizás estuviera divagando sobre Beatriz Obregón, imaginándomela en aquel torreón, con la mirada perdida en el mar, no lo sé. El caso es que, al pasar frente a la puerta del trastero, se me ocurrió de repente una idea y me detuve en seco.

—¿Qué pasa? —preguntó mi prima.

En vez de contestar, abrí la puerta del desván, encendí la linterna e iluminé el interior.

125

—Fíjate —dije—: está lleno de trastos.

—Por eso se llama trastero. ¿Y qué?

—¿Dónde están las cosas de Beatriz? —pregunté con lentitud, como si reflexionara en voz alta.

—¿Qué cosas?

—Su ropa, los muebles de su dormitorio, esa clase de cosas. ¿Dónde están?

Violeta me contempló de hito en hito y en seguida volvió la mirada hacia el interior del desván.

—Quieres decir —musitó— que a lo mejor las cosas de Beatriz están en el trastero...

—Si es que no las tiraron, claro. Aunque, con la cantidad de bártulos que hay, yo diría que en esta casa nunca se ha tirado nada.

Nos miramos en silencio, como si cada uno esperara que fuera el otro el primero en decir algo.

—Sería un follón empezar a revolver ahí dentro —señalé yo finalmente.

—Y mamá pondría el grito en el cielo —asintió Violeta.

Así que lo dejamos correr.

6. La mano en el espejo

A veces, después de cenar, daba largos paseos por la playa. El mar es diferente de noche, más misterioso que durante el día, y bajo la luz de la Luna parece fosforescente, como si las negras aguas estuvieran salpicadas de fuegos fatuos.

Durante la noche, la playa se hallaba vacía, salvo por la ocasional presencia de algún que otro pescador de marea baja, pero a mí me gustaba esa soledad. A lo lejos podía verse el haz intermitente de un faro, y a veces se distinguían en el horizonte las luces de algún barco. Las estrellas eran un dosel de candelas colgado sobre el océano.

Solía tumbarme en la arena y mirar el firmamento. Entre tanto, pensaba: en mis primas, por ejemplo, en lo diferentes —y a la vez iguales— que eran. Rosa parecía la más madura de las cuatro, la más sensata, pero debía de ser en el fondo una romántica. Margarita era puro fuego, desinhibida e irreverente; sin embargo, le gustaba bordar y eso debía de significar algo, quizá que era un poco más tradicional de lo que ella pensaba. En cuanto a Violeta, a primera vista parecía demasiado seria y engreída, pero su áspera forma de ser escondía en realidad un carácter soñador que, a mi modo de ver, quedaba patente en su secreta ambición de ser escritora. ¿Y Azucena? Nunca hablaba, sólo miraba, pero en sus ojos podía adivinarse una comprensión y una inteligencia del todo insospechadas en una niña de tan sólo doce años de edad. Las cuatro eran muy diferentes, sí, pero sus personalidades parecían complementarias, como si fueran las distintas piezas de un mismo puzzle.

Aunque no sólo pensaba en mis primas, claro. Cuando estaba allí, tumbado sobre la arena, no podía evitar que mis ojos acabaran recalando en la Luna, y recordaba que entre ella y la Tierra, viajando a cuatro mil quinientos kilómetros por hora, una pequeña nave espacial estaba a punto de hacer historia. A veces me parecía imposible que yo fuera a ser testigo del primer desembarco humano en otro cuerpo celeste...

Pero luego recordaba que, en realidad, no iba a ser testigo de nada, pues en Villa Candelaria no había televisión. La convicción de que iba a perderme el suceso más importante del siglo me sumía en un desánimo que, con el paso del tiempo, acabó por transformarse en taciturna resignación. Finalmente, acabé aceptando que de los ochocientos millones de telespectadores previstos, sólo presenciarían el alunizaje setecientos noventa y nueve millones novecientos noventa y nueve mil novecientos noventa y nueve.

Por lo demás, los días transcurrieron perezosa-

mente, entre baños en el mar, paseos por la playa y largas tardes de lectura a la sombra de los tamarindos del jardín. Y llegó el fin de semana, y pasó el sábado, y por fin amaneció el domingo veinte de julio de 1969. Esa noche tendría lugar el alunizaje. Y yo no iba a verlo.

Y de pronto, aquel domingo por la mañana, sucedió algo totalmente inesperado. Estaba desayunando en la cocina, todavía un poco amodorrado, cuando tío Luis vino en mi busca para pedirme que le acompañara al salón.

—Quiero enseñarte algo, Javier.

Tío Luis tenía un aspecto horrible: lucía unas violáceas ojeras y una barba de varios días le ensombrecía el mentón. A pesar de ello, parecía feliz y orgulloso de sí mismo. Apuré mi café con leche de un trago y le seguí. No vi nada anormal cuando entramos en el salón, hasta que al cabo de unos segundos advertí que junto a la chimenea había... algo. Al primer vistazo no pude adivinar lo que era. Parecía un cajón de vino al que le hubieran adosado varios interruptores (de hecho, en uno de sus costados podía verse el rótulo de «Domeq»). Pero luego me fijé en que aquella caja de tosca madera tenía una pantalla. Una pantalla de televisión.

—¡Es una tele! —exclamé.

—La he construido yo —asintió mi tío con aire de hombre satisfecho—. Como querías ver el alunizaje...

Así que por eso había permanecido tío Luis tanto tiempo encerrado en su taller. Sentí una oleada de agradecimiento que, al observar con más detalle la paten-

130

te tosquedad de aquel aparato, no tardó en convertirse en recelo.

—¿Funciona? —pregunté.

—Claro que sí —respondió tío Luis, un poco ofendido—. Al menos, en teoría. Se enciende y se oye, pero como aún no tiene antena, sólo he captado estática. Eso sí: una estática excelente.

—¿Y la antena? —musité, temiendo que mi tío se hubiera olvidado de aquel pequeño detalle.

—Tranquilo, he construido una.

No vale la pena extenderse en el proceso de instalación de la antena. Tío Luis subió al tejado llevando consigo un extraño armatoste confeccionado con varillas y alambres, tendió unos cables hacia el ventanal del salón y, tras estar un par de veces a punto de caerse, fijó la antena al techo. Luego, llegó el turno de orientarla. Yo me quedé abajo, contemplando la pantalla cuajada de nieve electrónica y comunicándole a gritos a mi tío —que permanecía en el tejado— lo que veía en el televisor. ¿Y qué veía? Nada.

Tras varios intentos infructuosos, sentí una punzada de pánico. ¿Y si aquel trasto fuera incapaz de sintonizar algo distinto a una tormenta de nieve? De pronto, tras numerosos y baldíos esfuerzos, en la pantalla se insinuó una imagen borrosa, y una musiquilla comenzó a sonar en los altavoces. Poco después, como por arte de magia, todo adquirió repentina nitidez y vi con claridad a un muñequito de dibujos animados que decía: «A mí plin, yo duermo en Pikolín». Era un anuncio de colchones.

Tío Luis, tan orgulloso como Núñez de Balboa después de descubrir el Pacífico, convocó a su mujer y a sus hijas para que contemplaran aquel portento que había construido. Rosa y Violeta felicitaron efusivamente a su padre. Margarita echó pestes de la televisión, calificándola de instrumento de propaganda imperialista. Azucena contempló la pantalla con desconcierto, sin decir nada; y tía Adela se limitó a comentar lo feo que quedaba aquel trasto en el salón. Pero, en general, ninguna de ellas le hizo demasiado caso y no tardaron en desentenderse del asunto y volver a sus quehaceres.

Por el contrario, tío Luis se quedó toda la tarde sentado frente al televisor, contemplando con aire abstraído —y más tarde atónito— desde la carta de ajuste a las imágenes en blanco y negro que danzaban en la pantalla, creo yo que más interesado en el aparato en sí que en los programas que transmitía. Fuera como fuese, mi tío pasó varias horas seguidas viendo la televisión, hasta que tía Adela le llamó. Entonces, se incorporó, se frotó los ojos y me dijo:

—La televisión no dice más que bobadas, pero es hipnótica —le echó un último vistazo al aparato, se rascó la cabeza y, antes de apagarlo, agregó—: ¿Sabes?, creo que la tele es el único móvil perpetuo que existe. Siempre emitirá programas y siempre habrá gente contemplándolos, por toda la eternidad. Da un poco de miedo, ¿no te parece?

* * *

La nave espacial *Apolo XI* pesaba cuarenta y cinco toneladas y estaba compuesta por tres elementos esenciales: la cabina de mando *Columbia*, en la que viajaban los astronautas, el módulo de servicio, donde estaban los motores que propulsarían la nave de regreso a la Tierra, y el módulo de exploración lunar, llamado *Eagle*, que era el vehículo de desembarco.

Después de dar catorce vueltas y media a la Luna, el *Eagle* se separó de la nave e inició el descenso hacia el satélite. En el módulo lunar viajaban Neil Armstrong y Edwind Aldrin. A bordo del *Columbia* quedó Michael Collins, que permanecería en órbita a la espera de que sus compañeros regresaran de la superficie lunar.

Siempre me pareció que Collins era un pringado. El pobre tipo hizo el viaje como los demás, recorrió cada uno de los trescientos ochenta mil kilómetros que nos separan de nuestro satélite, y luego, cuando tuvo la Luna al alcance de la mano, a menos de doscientos kilómetros de distancia, se vio obligado a quedarse en el módulo de mando, dando vueltas como un idiota mientras sus compañeros de viaje descendían al satélite y ascendían a la gloria. Debió de sentirse igual que Moisés, con un palmo de narices a las puertas de la tierra prometida.

El alunizaje en el Mar de la Tranquilidad sufrió un inesperado percance. En el último momento, Armstrong se dio cuenta de que el módulo lunar iba a posarse en un cráter lleno de piedras, así que tuvo que usar el control manual para desplazar la nave hacia un lugar seguro. Una vez que el *Eagle* se hubo aposentado sobre el polvoriento suelo de la Luna, el comandante de la nave desconectó los motores y colocó los mandos en posición de despegue rápido, por si las moscas. Luego, los dos astronautas comenzaron a prepararse para lo que habría de ser el primer paseo lunar de la Historia.

Pero eso aún tardaría unas horas en suceder. Todos —mis tíos, mis primas y yo— estábamos congregados frente al televisor que había construido tío Luis. Tras el alunizaje, tía Adela sirvió una cena fría a base de quesos y fiambres. Mientras comíamos, Margarita no pudo resistirse a ofrecernos su particular versión del acontecimiento:

—Esto es una gigantesca campaña política. Empezaron los rusos poniendo en órbita el *Sputnik,* y luego siguieron dándoles palos a los yanquis cuando Yuri Gagarin realizó el primer vuelo espacial tripulado. Entonces, Kennedy se cabreó como un mono y decidió ganarle la carrera espacial a los soviéticos haciendo algo gordo. ¿Y qué es lo más gordo que podía hacerse? Poner a un hombre en la Luna. Pero no a un hombre cualquiera, claro; tenía que ser yanqui, rubio y de ojos azules. ¿Cuántos negros han ido al espacio? Ni uno.

—Casi ni les dejan subir a los autobuses —comentó tío Luis, absorto en los anuncios de la televisión—, así que de permitirles tripular un cohete ni hablemos...

—¿Sabéis cuánto ha costado llegar a la Luna? —prosiguió Margarita, enardecida por su propia elocuencia—. Dos billones de pesetas. ¡Dos billones! ¿Os imagináis la cantidad de cosas que podrían hacerse con ese dinero en el Tercer Mundo?

—Pero gracias al programa espacial se han producido muchos avances para la humanidad —protesté.

134

—Para la humanidad no, primito, para los yanquis. No te engañes: el programa Apolo sólo es una campaña de publicidad destinada a mostrarle al mundo la supremacía del bloque capitalista sobre el bloque comunista. Y lo más irónico de todo es que la idea fue de Kennedy, pero ha sido el hijo puta de Nixon...

—¡Niña! —la reprendió su madre.

—Ha sido el cerdo de Nixon —prosiguió Margarita— quien se ha llevado el gato al agua. ¡Ese fascista! —señaló la televisión con un gesto despectivo—. Y nosotros aquí, tragándonos sin pestañear esa basura imperialista...

Supongo que todos estaban acostumbrados al ímpetu revolucionario que, de vez en cuando, poseía a Margarita, y que esa experiencia les aconsejaba no enredarse en discusiones, porque al virulento alegato de mi prima le siguió un profundo silencio. Yo estaba en total desacuerdo con ella, pues por aquel entonces creía —y aún lo pienso— que el espacio exterior es una meta natural para la humanidad. Sin embargo, en aquella ocasión no encontré las palabras necesarias para rebatir sus argumentos, y tuvo que ser otra persona, mi prima Rosa, quien lo hiciera.

—Ahora que lo mencionas, Marga —dijo con voz pausada—, he recordado un discurso de Kennedy. Hablaba sobre los motivos para ir a la Luna, y decía que la única razón era la que había dado Mallory, el alpinista, cuando le preguntaron por qué quería escalar el Everest: «Porque está ahí». Pues ésa es la razón para ir a la Luna, porque está ahí, y porque los humanos somos unos seres tan curiosos que siempre queremos llegar más allá de donde estamos. Ahora hay dos hombres en la Luna, y poco importa cuál sea su país, o su raza, o su política, porque por encima de todo representan a la especie humana.

Margarita abrió la boca para rebatir a su hermana, pero volvió a cerrarla al instante. Frunció el ceño, carraspeó y optó por salirse por la tangente.

—Tú misma lo has dicho —le espetó—: hay dos hombres en la Luna. ¿Y por qué ninguna mujer? ¿Cuántas mujeres han ido al espacio?

—Valentina Tereshkova —respondí al instante (yo sabía mucho sobre el espacio) y agregué—: Tripuló el *Vostok-6* en 1963.

Margarita me miró de reojo.

—Pero no era yanqui —replicó—, sino rusa socialista. ¿Ves como tengo razón?

Así era mi prima: siempre tenía que decir la última palabra.

Más tarde, ya entrada la madrugada, las imágenes del televisor mostraron cómo el comandante Armstrong, embutido en su blanco traje espacial, abandonaba el *Eagle*, descendía por una corta escalerilla y pisaba el suelo lunar. «Es un pequeño paso para un hombre, pero un gran salto para la humanidad», dijo. La frase sonaba demasiado rimbombante, pero, dada la magnitud de lo que estaba ocurriendo, creo que cualquier otro comentario hubiera sonado igual de tonto. Unos minutos después, Aldrin salió del módulo y se unió a Armstrong en la tarea de instalar diversos instrumentos sobre la superficie lunar y tomar muestras de minerales.

Estuve dos horas y media contemplando las evoluciones de los astronautas. Me asombraba verlos desplazarse dando saltitos, como a cámara lenta (pues la gravedad de la Luna es un sexto de la terrestre). Me fascinaba aquel paisaje lunar, árido y solitario. Me maravillaba estar viviendo, aunque fuera por la tele, una experiencia tan semejante a las novelas de ciencia ficción que tanto me gustaban. Yo había leído *El hombre que vendió la Luna*, de Heinlein, o *Los primeros hombres en la Luna* de Wells, o los dos álbumes en que Tintín y Haddock viajan a nuestro satélite, y ahora esas fantasías se estaban convirtiendo en realidad ante mis ojos.

Pero no todos compartían mi entusiasmo. En cuanto Armstrong desplegó una bandera de Estados Unidos, Margarita, mascullando algo entre dientes, se fue a su cuarto; tía Adela no tardó en quedarse dormida en el sillón, y poco después se retiraron Rosa y Azucena. Así que sólo permanecimos frente al televisor tío Luis, Violeta y yo. Y en algún momento, no recuerdo cuándo, advertí por el rabillo del ojo que Violeta no miraba a la pantalla, sino a mí, fijamente, como si intentara desentrañar lo que me pasaba por la cabeza. Debía de pensar, imagino, que yo era un bicho raro.

Finalmente, Armstrong y Aldrin regresaron al módulo lunar para descansar unas horas antes de despegar hacia el *Columbia*, y la retransmisión concluyó. Mientras sonaban las notas del himno nacional sobre una fotografía de Franco, tío Luis apagó el televisor y bostezó ruidosamente al tiempo que se desperezaba. Poco después, todos nos fuimos a dormir.

Yo tardé mucho en conciliar el sueño. Aquellas imágenes en blanco y negro, tan poco definidas, tan llenas de parásitos y estática, se me habían quedado grabadas en la memoria. Tras dar muchas vueltas en la cama, me levanté, abrí la ventana, alcé la vista, contemplé el firmamento y pensé que algún día mis hijos, o mis nietos, o los nietos de mis nietos, viajarían a las estrellas.

Sencillamente, porque están ahí.

* * *

He mencionado varias veces el lento ritmo de la vida en Villa Candelaria, la calma que se respiraba entre las paredes de aquel viejo caserón. Allí nadie parecía tener prisa, nadie alzaba la voz ni provocaba conflictos. Sin embargo, todo eso habría de cambiar radicalmente durante los siguientes días, cuando el hogar de los Obregón sufriera las sacudidas de un seísmo que había comenzado sesenta y ocho años atrás.

Pero antes sucedió algo que es preciso relatar. La mañana siguiente al alunizaje me desperté un poco más tarde de lo habitual, pero no demasiado, pues quería presenciar el despegue del *Eagle*. Cuando llegué al salón, tío Luis ya estaba sentado frente al televisor, todavía en pijama y con la mirada perdida en las imágenes que brotaban del tubo catódico. Juntos vimos el despegue: la cámara mostraba un plano general del módulo lunar, que parecía una araña cabezona. Al llegar al final de la cuenta atrás, la cabeza de la araña salió echando mixtos hacia arriba y, en un abrir y cerrar de ojos, desapareció de cuadro. La verdad es que fue un poco decepcionante.

Aquella tarde fui a la playa con Violeta y Azucena. Estaba cansado, así que me tumbé en la toalla y, dejándome acunar por los tibios rayos del sol, intenté dormir un rato. No pude, tenía la sensación de que alguien me miraba. Abrí los ojos, y allí estaba Azucena, sentada sobre la arena, mirándome fijamente.

—¿Qué miras? —pregunté.

Ella se encogió de hombros.

—¿Es que no piensas hablarme nunca?

Volvió a encogerse de hombros.

—¿Por qué no vas a buscar cangrejos? —sugerí.

Esta vez no hubo encogimiento de hombros, ni ninguna otra clase de respuesta. Azucena se limitó a permanecer inmóvil e impasible, con sus enormes ojos clavados en mí. Suspiré, resignado a olvidarme de echar una cabezadita, y me levanté para darme un baño en las heladas aguas del Cantábrico, preguntándome interiormente, mientras me dirigía a la orilla, si aquella niña no sería un poco autista o si, sencillamente, disfrutaba poniéndome nervioso.

Regresamos a casa a última hora de la tarde. Como estaba lleno de arena y tenía el pelo pringoso de salitre, fui directamente al cuarto de baño, abrí el grifo, me desnudé y, cuando la bañera comenzó a llenarse de nubes de vapor, me metí bajo la ducha y estuve largo rato enjabonándome, disfrutando de la agradable sensación del agua caliente corriéndome por la piel.

Entonces, sobreponiéndose a los olores del gel y del champú, percibí un delicado perfume, un sutil y familiar aroma a nardos.

El corazón me dio un vuelco. Con todo aquel asunto del alunizaje, me había olvidado por completo de que un maldito espíritu, o presencia, o ente, o lo que demonios fuese, rondaba por Villa Candelaria. Pero ahora olía a nardos, y eso significaba que aquella cosa estaba ahí, muy cerca.

El pulso me temblaba cuando cerré el grifo. Tendí una mano hacia la cortina de la bañera, pero no reuní el valor necesario para correrla. ¿Qué había al otro lado? No se oía nada, salvo el rítmico tabaleo de las gotas de agua que pausadamente se desprendían de la ducha, pero el olor a nardos era cada vez más intenso. Haciendo de tripas corazón, aparté un poco la cortina y atisbé por la rendija. Di un brinco. Había algo, una especie de presencia neblinosa...

No, sólo era vapor. Respiré aliviado y corrí la cortina.

En el cuarto de baño no había nadie, no había nada. Sacudí la cabeza, aliviado... Y entonces, con un estremecimiento, vi el espejo. Estaba empañado y alguien o algo, un dedo invisible, había escrito un nombre sobre el vaho del cristal.

«Amalia»

Salí lentamente de la bañera y me quedé mirando aquellas seis letras trazadas en el espejo empañado. Durante unos segundos fui incapaz de pensar o hacer nada. De repente, salí del estupor y eché a correr hacia la puerta. Afortunadamente, antes de abrirla recordé que estaba desnudo, así que me enrollé una toalla a la cintura y corrí en busca de Violeta. La encontré en su dormitorio. Jamás la he visto tan sorprendida como cuando me vio aparecer medio desnudo, chorreando agua y lleno de jabón.

—¿Qué haces? —preguntó—. Estás mojando el suelo.

—¡Tienes que ver algo! —la interrumpí, muy excitado—. ¡Vamos, date prisa!

—Pero, ¿qué...?

—¡Déjate de *peroqués*! ¡Venga, que se va a desempañar!

La conduje casi a empujones al cuarto de baño y le mostré el espejo. Aunque el nombre trazado en el vaho había comenzado a difuminarse, todavía era claramente legible.

—Yo estaba en la ducha —expliqué apresuradamente—, y al salir me encontré con esto...

Violeta alzó un poco la cabeza y olfateó el aire. Aunque muy tenue ya, aún podía percibirse el fantasmal perfume.

—Nardos... —murmuró mi prima; luego, contempló de nuevo el nombre escrito en el espejo y agregó—: ¿Quién es Amalia?

—¡Y yo qué sé! Eso mismo iba a preguntarte.

Violeta se encogió de hombros.

—No conozco a ninguna Amalia. Pero cada vez está más claro que Beatriz quiere decirnos algo.

—¡Y dale! —exclamé de mal humor—. ¡Qué manía ésa de comunicarse matándome a sustos! Además, ¿por qué estás tan segura de que es Beatriz? Podría ser el diablo, ¿no? A lo mejor hay algún endemoniado en la casa. Tu hermana pequeña, por ejemplo; esa niña es muy rara.

—No digas chorradas. Es Beatriz y quiere algo de nosotros, pero ¿qué? ¿Y quién es esa Amalia? —respiró hondo—. Tenemos que hablar, Javier. Ven a mi cuarto.

Echó a andar hacia su dormitorio y yo comencé a seguirla, pero ella me contuvo con un gesto.

—Sería mejor que antes te secaras —sugirió—. Y estás muy mono así, medio en pelotas, pero deberías vestirte.

* * *

—Creo que he descubierto la clave de lo que está pasando.

Violeta, de pie junto al ventanal de su cuarto, dejó la frase en suspenso, como si estuviera escribiendo uno de sus cuentos y quisiera reforzar el relato con una pausa dramática.

—¿De qué puñetera clave hablas? —pregunté.

—De ti —contestó ella, muy seria.

—¿De mí? ¿Qué tengo yo que ver con los fantasmas de tu familia?

—Nada, pero... —a través de los cristales, Violeta contempló el patio trasero, ahora tenuemente iluminado por las últimas luces del ocaso—. Supongamos que existen los fantasmas —prosiguió—, y supongamos que hay un fantasma en Villa Candelaria.

—No tiene por qué ser un fantasma —la interrumpí—. Quizá sea eso que llaman... *poltergeist*, creo. Casas encantadas, ya sabes: ruidos, voces, objetos que se mueven solos y cosas así. Antes se creía que era cosa de fantasmas, pero luego se descubrió que esos fe-

142

nómenos los provocaba algún habitante de la casa, por lo general adolescentes. ¡Como tu hermana pequeña! Estoy seguro de que esa niña...

—Qué pesado te pones —me interrumpió—. Azucena sólo es un poco tímida, ¿vale? No tiene nada que ver con esto. Ahora, déjate de tonterías y supongamos que hay un fantasma en la casa. Lo que está claro es que no todo el mundo puede notar su presencia. De hecho, hasta que llegaste tú, sólo yo podía verlo.

—Bueno, ¿y qué?

—Dicen que hay personas más dotadas que otras para percibir los fenómenos sobrenaturales. Yo lo estoy, pero tú mucho más.

—¿Y eso por qué?

—Porque hasta ahora yo sólo había olido el perfume a nardos, o escuchado pasos. Como mucho, había visto sombras y reflejos raros. Pero de repente llegas tú y se mueven los libros o aparecen palabras escritas en los espejos. Eso jamás había pasado. Es como si tu presencia aquí le diera fuerzas para manifestarse —hizo una pausa y concluyó—: Beatriz quiere que averigüemos lo que le sucedió.

—Pero si no estamos seguros de que sea Beatriz —protesté con desánimo—. ¿Tú la has visto? Pues yo tampoco, salvo la falda de su vestido, y ni siquiera estoy seguro de lo que vi. Podría ser cualquier cosa, las enaguas de María Antonieta, por ejemplo. Lo que tenemos que hacer es buscar un exorcista, un brujo o algo así.

Bromeaba, claro, pero Violeta ni siquiera sonrió.

—Es Beatriz —insistió con gravedad—; estoy segura, Javier, es ella. Quiere contarnos lo que le sucedió, pero por alguna razón no puede, así que nos da pistas para que lo averigüemos nosotros.

—¿Qué pistas?

—Que esperaba un barco, el *Savanna*. Y ahora nos ha dado un nombre: Amalia.

—¿Y quién demonios es Amalia? Porque ésa es otra: si ese fantasma tuyo quiere darnos pistas, podría hacerlo mucho mejor. ¿Amalia qué? Hubiese sido un detalle decirnos el apellido; pero no, claro, los espíritus tienen que ser misteriosos. Amalia, Amalia... Debe de haber miles de Amalias.

—Ya lo averiguaremos, Javier; ahora olvídate de eso —Violeta se acercó a mí—. Tengo que hacer algo —dijo en tono confidencial—, y necesito tu ayuda.

—¿Para qué? —pregunté con desconfianza.

—Pues... —titubeó—. Es por lo que dijiste el otro día sobre el desván. Creo que tienes razón. Cuando Beatriz desapareció, sus familiares tuvieron que hacer algo con sus cosas. Quizá las tiraron, pero también es posible que las guardaran.

—En el trastero.

—Sí. Además, ¿no dices que viste el vuelo de una falda en las escaleras? Pues esas escaleras llevan al trastero, así que Beatriz quería decirnos que fuéramos allí.

—Y tú quieres que nos pongamos a revolver en ese cuartucho polvoriento lleno de chismes, arañas y ratas, ¿verdad?

Violeta sonrió con inocencia y asintió. Y yo, de repente, me sentí muy, pero que muy deprimido.

144

7. *Del amor y otros desastres*

En ocasiones, las matemáticas dejan de ser una ciencia abstracta para convertirse en algo terriblemente concreto. El desván de Villa Candelaria tenía doce metros de profundidad por diez de ancho y tres de altura. En total, trescientos sesenta metros cúbicos abarrotados de cachivaches. Si suponemos que cada metro cúbico contenía una masa de treinta kilos —y me quedo corto—, el resultado final de la ecuación era que nos enfrentábamos a once toneladas de trastos. Sólo de pensarlo me sentía agotado.

Violeta y yo nos pusimos manos a la obra al día siguiente. Por la mañana, subimos a la planta superior, abrimos la puerta del desván y nos quedamos mirando, con no poco desánimo, el desolador panorama que se extendía ante nosotros. Allí había una montaña de trastos, un mar de bártulos, generaciones y generaciones de objetos inútiles acumulados a lo largo de más de cien años.

—Le he dicho a mamá que íbamos a ordenar el desván —comentó Violeta—. Debe de pensar que me he vuelto loca, pero no ha protestado.

—Esto es espantoso —musité, abatido—. Nunca he visto tanto trasto junto. ¿Por qué no lo dejamos correr?

—Venga, no es para tanto —Violeta reflexionó con la mirada fija en el interior del trastero—. Yo creo que las cosas se han ido acumulando desde el fondo hacia la entrada...

—Y como lo que buscamos tiene setenta años de antigüedad —concluí con desaliento—, debe de estar hacia el fondo. Así que primero tendremos que mover todos los trastos que están delante.

—No hará falta. Lo que vamos a hacer es sacar a la terraza los bultos que hay en primera línea; luego, llevaremos las cosas del centro hacia los lados y así haremos una especie de pasillo —sonrió con exagerado optimismo—. Venga, cuanto antes empecemos, antes acabaremos. Ya verás como es fácil.

No, no fue fácil; fue difícil. Y muy cansado, mucho. Al acabar el día, tras horas de esforzado trabajo, apenas habíamos conseguido desplazar una ínfima parte de los bártulos que atestaban el desván, y ya estábamos hechos polvo. Aún recuerdo con horror las dolorosas agujetas que sufrí durante los primeros días de trabajo, y los callos que me salieron en las manos de tanto trasladar bultos, pero no desfallecí. Y si no lo hice fue porque Violeta se esforzaba tanto o más que yo, y en ningún momento la vi desanimarse o formular una queja.

Yo no le veía mucho sentido a lo que estábamos ha-

146

ciendo. Lo más probable es que no hubiera nada de interés en el desván, pero... Pero quizá sí, de modo que mantuve la boca cerrada y me dediqué por entero a desplazar cajas, mover muebles rotos y amontonar trastos, todo ello sin protestar, pero maldiciendo interiormente el afán conservador de una familia que, a tenor de lo que podía verse en el trastero, parecía desconocer por completo el uso de los cubos de basura.

Entre tanto, aunque nadie lo sospechaba, el desastre estaba a punto de abatirse sobre Villa Candelaria. Pero antes de que eso ocurriera, los astronautas que habían viajado a la Luna regresaron a la Tierra. El jueves, veinticuatro de julio, la cápsula espacial amerizó en el Pacífico y el portaaviones *Hornet* recogió a sus tripulantes. Lo vi todo por televisión, sin más compañía que la de mi tío.

A decir verdad, nadie le había prestado mucha atención al televisor de tío Luis. Salvo tío Luis. Desde que encendió el aparato por primera vez, mi tío pareció obsesionarse. Se instalaba cada día frente a la pantalla, y se tragaba impertérrito toda la programación, incluso la carta de ajuste, cuyos círculos segmentados le fascinaban como si fueran un mandala, una de esas pinturas geométricas que usan los lamas tibetanos para meditar. Mi tío se pasaba todo el día viendo la tele, sin decir una palabra, y luego, al finalizar la emisión, se levantaba como un zombi del asiento y se iba a su cuarto, para iniciar de nuevo el proceso al día siguiente.

Estaba obsesionado, era evidente, pero nadie le dio mucha importancia. «A veces se porta como un niño», comentó tía Adela; y añadió con aire displicente:

«Pronto se le pasará». Estaba en lo cierto. Aquella misma tarde, después de la retransmisión del amerizaje, tío Luis parpadeó varias veces, muy rápido, igual que si despertara de un trance, miró en derredor con extrañeza, me contempló como si me viera por primera vez, tendió una temblorosa mano, apagó el televisor y dijo en voz baja:

—Este artefacto es diabólico, Javier. Te roba la voluntad... —se levantó un poco vacilante, desenchufó el aparato, lo cogió entre sus brazos y agregó—: He creado un monstruo y ahora debo destruirlo.

Acto seguido, se dirigió al sótano y pasó el resto de la tarde desmontando el aparato que él mismo había construido. Así concluyó la breve experiencia televisiva de la familia Obregón.

* * *

Poco a poco, conforme pasaban los días, Violeta y yo fuimos avanzando en nuestra exploración del desván. Habíamos despejado una franja de más o menos seis metros de longitud, formando en el centro del trastero un pasillo jalonado de bártulos, pero aún quedaba otro tanto para alcanzar el fondo.

Era un trabajo duro. Nos dolían los músculos de tanto cargar trastos y no parábamos de toser a causa del polvo que saturaba el aire. No obstante, había algo casi mágico en aquella tarea. A medida que avanzábamos hacia el fondo del trastero, parecíamos retroceder en el tiempo. Encontré pilas de revistas de los años cincuenta, y más tarde álbumes fotográficos de los cuarenta, y una máscara de gas, vestigio de la Guerra Civil, y más adelante, un cajón con juguetes de hojalata que, probablemente, pertenecieron a tío Luis. En cierto modo, aquello era como una excavación arqueológica, con la única diferencia de que los estratos temporales no se sucedían en sentido vertical y hacia abajo, sino horizontal y hacia el fondo.

Gracias a las fechas de las revistas, los periódicos o las cartas que encontrábamos, podíamos determinar con cierta precisión la época que habíamos alcanzado en nuestro avance. Y fue al llegar al «estrato» correspondiente a los años treinta cuando la paz de Villa Candelaria se vio sacudida por un inesperado incidente.

* * *

El sábado, Violeta y yo comenzamos a trabajar en el desván desde muy temprano. A media mañana, mientras nos esforzábamos en apartar una alacena rota —y muy pesada—, mi prima alzó de repente la cabeza y desvió la mirada, como si algo le hubiera llamado la atención.

—¿Has oído? —preguntó.

—¿El qué?

—Me ha parecido que alguien gritaba.

—Pues yo no he oído nada...

Violeta me interrumpió con un ademán y ambos nos quedamos en silencio, con los oídos atentos. Al cabo de unos segundos, percibí el lejano sonido de unas voces que parecían proceder del interior de Villa Candelaria. En efecto: alguien gritaba.

—Voy a ver qué pasa —dijo mi prima—. Espérame aquí, volveré en seguida.

Violeta echó a andar hacia la salida y yo me senté sobre una caja de madera. A mi lado había una pila de periódicos viejos. Cogí uno y comencé a ojearlo. Era un ejemplar del *Ahora* de 1935, con las amarillentas y quebradizas hojas llenas de noticias curiosas: «La espía rusa Olga Moskovies ha sido expulsada de territorio portugués», «Wiley Post fracasa en su cuarto intento de vuelo subestratosférico transcontinental», «Se ha producido un grave conflicto entre los nazis y los cascos de acero de Munich», por no mencionar los siete goles que le había metido el Real Madrid al Betis en un partido amistoso. También eran divertidos los anuncios: «HERNIA. No lleve usted más braguero», «Limonada Ideal del Dr. Campoy. El mejor purgante», «Vigor sexual Koch. Enviamos discretamente», «Hotel Bristol. Habitación con baño 6 pesetas».

Al cabo de unos minutos, tras haber hojeado un buen montón de periódicos viejos, comencé a preguntarme dónde se había metido Violeta. De cuando en cuando, aún escuchaba en la lejanía alguna que otra voz, así que finalmente abandoné el desván y bajé al segundo piso. Como Violeta no estaba en su cuarto, me encaminé a la planta baja.

La encontré en el vestíbulo, junto a Margarita y Azucena. Las tres estaban escuchando las airadas voces que sonaban tras la puerta del salón.

—¿Qué pasa? —pregunté.

Margarita, con la oreja pegada a la hoja de la puerta, me chistó para que guardara silencio.

—Ha venido don Germán —dijo Violeta en voz baja—. Está discutiendo con papá.

—¿Quién es don Germán?

—Germán Mendoza. El padre del novio de Rosa; te hablé de él, ¿no te acuerdas?

Asentí.

—Ya, el ricachón estirado. ¿Y qué?

—¿Queréis callaros? —nos instó Margarita—. No oigo nada.

Cerramos la boca, pero, en vez de voces, escuchamos el taconeo de unos pasos aproximándose. Margarita logró apartarse justo en el momento en que la puerta del salón se abría bruscamente, dando paso a un hombre de mediana edad, grueso y con el rostro congestionado. Le seguía tío Luis, muy serio. Don Germán abrió la puerta de salida y se volvió hacia mi tío.

—Ate corto a su hija, señor Obregón —le dijo con aspereza—. Átela muy corto.

—Y usted mantenga a su hijo alejado de mi familia —replicó tío Luis.

Sobrevino un tenso silencio.

—Al menos —dijo al fin don Germán— en eso estamos de acuerdo.

—No lo dude.

Don Germán alzó el mentón con altivez y, sin despedirse, abandonó la casa. Fuera le esperaba un Mercedes con chófer. Tío Luis cerró la puerta, respiró hondo y se volvió hacia sus hijas.

—¿Dónde está Rosa? —preguntó en tono gélido.

—En su cuarto —contestó Margarita—. Pero si quieres mi opinión, papá...

—No, no quiero tu opinión —la interrumpió tío Luis—. Vosotras lo sabíais, ¿verdad? Sabíais que Rosa

151

estaba viéndose con Gabriel Mendoza, aunque yo se lo había prohibido. Y no me dijisteis nada.

—Escucha, papá —insistió Margarita—, estás siendo muy injus...

—¡Basta! —exclamó tío Luis alzando las manos—. ¡No quiero oír ni una palabra más!

Dicho esto, echó a andar escaleras arriba en dirección al dormitorio de Rosa. Jamás le había visto tan enfadado.

—¿Y mamá? —preguntó Violeta.

—En la cocina —contestó Margarita—. Ya sabes lo poco que le gustan estas cosas.

—¿Os importaría decirme qué está pasando? —pregunté.

—Don Germán —me informó Violeta— se ha enterado de que su hijo y Rosa siguen viéndose.

—¿Y sabes cómo se ha enterado? —terció Margarita—. Porque contrató a un detective para que siguiera a su hijo. ¡Un detective! Ese hombre está enfermo.

—Don Germán se ha presentado en casa hecho una furia —prosiguió Violeta—. Y ya has visto cómo se ha puesto papá.

—Sí —asentí con cara de circunstancias—, está muy cabreado.

Como si los hechos quisieran confirmar mis palabras, de pronto nos llegó desde el segundo piso el sonido de un torrente de voces airadas. Tío Luis le estaba echando una bronca tremenda a su hija mayor. Nos congregamos al pie de las escaleras y, en silencio, seguimos el desarrollo de aquel pequeño desastre.

No recuerdo qué le dijo exactamente tío Luis a

152

Rosa, pues su enfado era tan grande que pasaba una y otra vez del grito al susurro, combinando sin solución de continuidad censuras, admoniciones y reproches; sin embargo, nunca he olvidado la expresión de Azucena, allí, al pie de la escalera, mirándonos a todos con aquellos ojos sorprendidos, y preguntándose, creo yo, si no estarían locos todos los adultos.

* * *

Tío Luis le prohibió terminantemente a Rosa volver a verse con Gabriel Mendoza, y también le prohibió salir de casa, ni de día ni de noche. Ni siquiera le estaría permitido utilizar el teléfono. En resumen: Rosa permanecería enclaustrada en Villa Candelaria hasta que, después del verano, viajara a Madrid para estudiar Arquitectura.

Yo estaba muy perplejo. Tío Luis me había parecido siempre un hombre afable y comprensivo, incluso un poco calzonazos; y de repente, se había transformado en una especie de padre del siglo diecinueve, despótico e intolerante. Supongo que aquel insólito cambio de carácter se debía al rencor que mi tío le profesaba a los Mendoza. Pero, ¿cómo era posible tanto odio?

Fuera como fuese, una nube tormentosa se había instalado en Villa Candelaria. Rosa pasaba la mayor parte del tiempo en su cuarto, aunque a veces bajaba al salón para dibujar junto al mirador. Imagino que estaba muy triste, aunque no lo demostraba. Tía Adela, por su parte, no decía nada; únicamente de cuando en cuando musitaba: «¡Ay, Señor, Señor!...», y suspiraba lánguidamente. Tío Luis se mantenía encerrado en su taller, pero ocasionalmente salía de su refugio y deambulaba por la casa con aire reconcentrado, las manos entrelazadas a la espalda y la mirada sombría. En cuanto a Violeta y Margarita, no se apartaron ni un momento de Rosa. Se encerraban con ella en su cuarto, o le servían de modelos para sus dibujos, o jugaban a las cartas y al ajedrez, o charlaban con ella en voz baja. Incluso Azucena le mostraba su apoyo sentándose en el suelo a su lado, sin decir nada, pero solidarizándose con ella a base de pura proximidad.

De repente, mis cuatro primas habían hecho una piña, como si los problemas de una de ellas afectaran por igual a las demás. Y yo, de nuevo, volví a preguntarme si mi hermano y yo podríamos llegar alguna vez a estar tan unidos; pero me dije que probablemente no, al menos no de aquel modo tan incondicional, por la simple razón de que éramos hombres y, por tanto, lo suficientemente estúpidos para no permitirnos mostrar ni un ápice de debilidad.

Como Violeta pasaba la mayoría del tiempo con Rosa, la exploración del desván se vio bruscamente interrumpida, y yo me quedé sin nada que hacer ni nadie con quien hacerlo. Para colmo, comenzó a llover otra vez, de modo que ni siquiera podía ir a la playa, así que me pasaba los días leyendo, escuchando la radio o paseando solo. Además, el ambiente en Villa Candelaria era cada vez más tenso, sobre todo durante las comidas y las cenas, cuando nos reuníamos en torno a la mesa y nadie hablaba. De un lado estaban Rosa y sus hermanas; del otro, tío Luis, y en medio tía

154

Adela, que no se decantaba por ningún bando. Yo sólo era un convidado de piedra sin voz ni voto.

Fue durante una cena, tres días después de la visita de don Germán, cuando por fin comprendí las razones del comportamiento de tío Luis. Al acabar el segundo plato, sin esperar al postre, Rosa se incorporó y le dijo a su madre:

—Estoy cansada, mamá. Me voy a mi cuarto.

Tía Adela se despidió de ella y luego musitó un quedo «¡Ay, Señor, Señor!...», seguido de un largo suspiro. Tío Luis torció el gesto y fingió concentrarse en el melocotón que estaba pelando. Tras un sepulcral silencio, Margarita dijo:

—¿Hasta cuándo va a durar esto, papá?

Mi tío siguió pelando la fruta, sin levantar la mirada.

—¿Hasta cuándo va a durar el qué? —preguntó.

—Tu intolerancia —replicó Margarita—. No tienes derecho a tratar así a Rosa.

Creí que tío Luis iba a explotar de nuevo, pero en vez de ello repuso en voz baja:

—Soy su padre. Ése es mi derecho.

—Pues no basta. Rosa no es de tu propiedad, papá, no es un perro al que puedas encerrar en casa para castigarle. ¡Y todo por algo que sucedió cuando ninguno de nosotros había nacido! Es increíble... No, es medieval. Parece mentira el follón que estás montando por unas puñeteras batallitas familiares del siglo pasado.

Sobrevino un pesado silencio. Violeta mantenía la vista fija en el mantel, Azucena miraba alternativa-

155

mente a Margarita y a su padre, como si presenciara el desarrollo de un partido de tenis, y tía Adela se agitaba en su silla, supongo que dudando entre levantarse y decir algo, o seguir sentada y no abrir la boca. Al cabo de unos segundos, en voz muy baja, tío Luis preguntó:

—¿Has acabado ya?

Margarita exhaló una bocanada de aire.

—Sí; no vale de nada seguir hablando.

—Te equivocas —replicó él—; siempre vale la pena hablar —hizo una pausa—. Supongo que a ti la única batalla que te importa es la del proletariado liberándose del yugo capitalista, y que las «batallitas» familiares te traen sin cuidado. Pues lo siento, pero te voy a contar una de esas «batallitas» —dejó el melocotón, sin probarlo, sobre el plato y se limpió las manos con la servilleta; luego, miró fijamente a su hija y prosiguió—: Durante la Guerra, cuando los franquistas se hicieron con el poder en el Norte de España, los Mendoza difundieron un montón de calumnias sobre mi padre. Le acusaron de colaborar con los «rojos», de traicionar la causa del Alzamiento Nacional, de dedicarse al estraperlo... En resumen, mi padre, tu abuelo, no sólo perdió todo lo que tenía, sino que además pasó dos años en prisión. Cuando finalmente regresó a casa, era un hombre acabado. Yo sólo tenía catorce años, pero recuerdo muy bien su amargura y su tristeza, sus largos silencios y su mirada de hombre derrotado. Mi madre murió en el cuarenta y cuatro, y él la siguió seis años después, a finales de 1950, poco antes de que naciese Rosa. Los médicos dijeron que lo

156

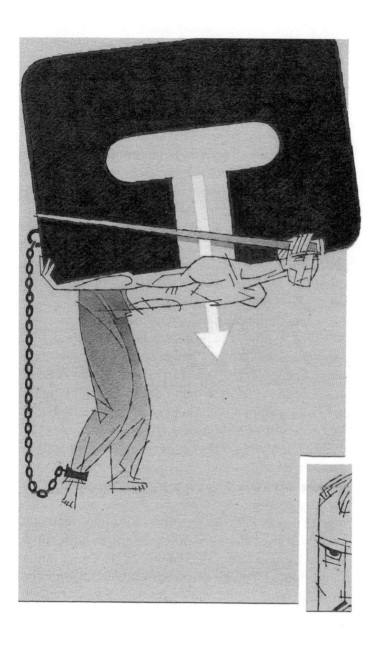

mató una crisis cardíaca, pero yo creo que se murió de pena.

Las palabras de tío Luis quedaron suspendidas en el aire. Un trueno retumbó en la distancia.

—Eso ocurrió hace mucho tiempo, papá —repuso Margarita en voz baja.

—Puede que sí, pero no es una simple anécdota, ni una historia de la guerra como otras tantas. Yo estaba allí, yo sufrí en mis propias carnes las intrigas de los Mendoza, yo fui testigo de lo que esa gentuza les hizo a mis padres. ¿Y ahora quieres que acepte de buen grado que una de mis hijas salga con uno de ellos? ¿Pretendes que lo olvide todo y acoja en mi casa a un miembro de la familia que arruinó la vida de mis padres? ¿Es eso lo que, según tú, debería hacer?

—Tranquilízate, Luis —musitó mi tía.

—Estoy muy tranquilo, Adela —tío Luis dejó la servilleta sobre la mesa, se incorporó y, antes de abandonar el comedor, le dijo a su hija—: Mientras yo viva, no consentiré que nadie de mi familia tenga la menor relación con un Mendoza. Eso es definitivo, y ésta es la última vez que discuto este asunto.

Fueron muchas las cosas que aprendí durante mi estancia en Villa Candelaria, pero esa noche, durante aquella discusión de sobremesa, comprendí algo que luego, a lo largo de la vida, me ha sido de gran utilidad para entender a las personas. Resultaba fácil considerar a tío Luis el malo de la película; a fin de cuentas, era él quien se comportaba de forma intolerante, como un padre despótico y cruel. Sin embargo, tío Luis tenía sus razones para actuar de ese modo;

158

unas razones equivocadas, pero poderosas. Y eso es lo que aprendí, que siempre hay una causa para lo que hacemos, que todos tenemos nuestros motivos.

* * *

Al día siguiente, por la mañana, justo cuando acababa de vestirme, Rosa se presentó en mi dormitorio.

—¿Puedes venir un momento, Javier? —me preguntó.

La seguí a su cuarto; allí estaban también Violeta y Margarita. Rosa cerró la puerta y me invitó a sentarme sobre la cama.

—Creo que ya sabes lo que está pasando —me dijo.

Asentí con un cabeceo y ella prosiguió:

—Hace año y medio, un amigo común me presentó a Gabriel Mendoza, aunque ya nos conocíamos de vista. Gabriel estudia Arquitectura en Madrid, así que estuvimos un rato charlando sobre la carrera. A partir de entonces, coincidimos varias veces y, casi sin darnos cuenta, comenzamos a salir. Siempre a escondidas, claro; aunque como él vive en Madrid, sólo podíamos vernos algunos fines de semana y en vacaciones. A pesar de todo, y aunque suene cursi decirlo, Gabriel y yo nos hemos enamorado —hizo una pausa y añadió—: Gabriel es... Espera, te enseñaré una foto.

Rosa se aproximó a un pequeño escritorio situado junto al ventanal, sacó una fotografía del interior de un cajón y me la mostró. Supongo que yo esperaba ver al típico niño pijo engominado, pero en vez de ello me encontré con el retrato de un joven de unos veinte años,

159

con barba, pelo revuelto y gafas de miope, un tipo de aspecto simpático.

—No se parece nada a su padre —prosiguió Rosa—. Gabriel es amable, y atento, y tiene mucho sentido del humor. Si le conocieras, estoy segura de que te caería muy bien.

Contemplé la foto y luego miré a mi prima sin saber qué decir. ¿Por qué me contaba Rosa todo aquello?

—Quiero pedirte un favor, Javier —dijo ella, adivinando mi desconcierto; cogió un sobre que descansaba encima del escritorio y agregó—: Gabriel estará hoy por la tarde en el bar del Casino. ¿Te importaría llevarle esta carta?

La verdad es que me hacía muy poca gracia enredarme en aquel asunto; no quería ni pensar en lo que sucedería si tío Luis se enteraba de mi intervención. Alcé las cejas y, con una muda pregunta en los ojos, volví la mirada hacia Violeta y Margarita.

—Nosotras no podemos hacerlo —dijo Violeta.

—El fascista de don Germán tiene a su hijo vigilado por un detective —añadió Margarita—, y el maldito sicario nos reconocería.

—Pero a ti no te conoce —concluyó Violeta—, así que debes ser tú quien le lleve la carta a Gabriel.

Margarita, con aire un poco aburrido, se quitó las gafas y comenzó a limpiar los cristales. Violeta me contempló fijamente, con gravedad, como un oficial esperando que un soldado se presente voluntario para una peligrosa misión. Rosa sonrió; era tan guapa y parecía tan desvalida...

—Vale, lo haré —acepté con un suspiro.

Y tendí la mano para coger el sobre que me ofrecía mi prima mayor.

* * *

Llovía a mares cuando llegué al bar del Casino. Eran las siete de la tarde y el local estaba lleno de clientes, pero no tardé en distinguir a Gabriel Mendoza sentado a una de las mesas, frente a un vaso de cerveza. Cerré el paraguas, me aproximé a él y me presenté.

—Así que tú eres el famoso primo de Madrid —Gabriel se incorporó y me estrechó la mano—. Rosa me ha hablado mucho de ti. ¿Quieres tomar algo?

—Sí, una...

Iba a decir una Coca-Cola, pero Gabriel, sin dejarme terminar la frase, se volvió hacia un camarero y le pidió dos cervezas.

—¿Cómo está Rosa? —me preguntó cuando nos sentamos.

—Bien... Bueno, su padre no la deja salir de casa.

—Ya, ya lo sé; ni siquiera le permite hablar por teléfono. ¿Te ha dado ella algo para mí?

Asentí y le entregué el sobre. Gabriel lo rasgó con nerviosismo, desdobló la carta y se puso a leerla. Creo que la leyó tres veces consecutivas; entre tanto, el camarero trajo nuestras bebidas. A mí no me gustaba mucho la cerveza —demasiado amarga—, pero tenía sed y le di unos sorbos. Mientras lo hacía, contemplaba disimuladamente al novio de mi prima.

Gabriel Mendoza no se ajustaba en lo más mínimo a la imagen estereotipada de un hijo de millonarios. Era alto y delgado, supongo que bien parecido, aunque un tanto desgarbado; bajo las gafas de miope, que le empequeñecían un poco los ojos, una barba castaña y bastante descuidada le cubría por entero el mentón. Vestía una camisa de algodón y unos vaqueros más bien raídos. Luego descubrí que a veces, al hablar, tartamudeaba un poquito, como si se le trabucasen las palabras. El típico tic, pensé, que suele enternecer el corazón de la chicas. En conjunto, tenía mucho más aspecto de estudiante de izquierdas que de millonario.

Tras leer y releer la carta durante cinco largos minutos, Gabriel la guardó en el sobre, perdió la mirada, suspiró, se bebió la cerveza de un trago y le pidió otra ronda al camarero. Luego, se volvió hacia mí y, con un nuevo suspiro, me dijo:

—Tu prima es maravillosa.

No supe qué contestar, así que farfullé algo ininteligible.

—Lo malo es que nos hemos visto muy poco —prosiguió Gabriel—. Yo estudio en la Politécnica de Madrid, ¿sabes?, en la Escuela de Arquitectura; acabo de terminar el segundo curso. Rosa iba a matricularse en la Escuela este otoño, y por fin podríamos estar juntos todo el tiempo, pero...

Se interrumpió al llegar el camarero con dos nuevas cervezas. La bebida se me acumulaba, así que comencé a beber más deprisa.

—Escucha —prosiguió Gabriel—, quiero que le digas algo a Rosa. Dile que mi padre está que echa chispas. Se ha enterado de que ella también iba a estudiar en Madrid, y ahora está empeñado en que yo deje la

162

Politécnica y me matricule en no sé qué universidad norteamericana. ¿Se lo dirás?

—Claro... ¿Y tú qué vas a hacer? Me refiero a lo de irte a Estados Unidos.

Gabriel me miró con impotencia.

—Y yo qué sé... —musitó—. Mi padre es más terco que una mula.

—¿Por qué no hablas con él?

—Hemos hablado mil veces y no ha servido de nada —apuró la cerveza y, con un gesto, le pidió al camarero otra ronda—. Mi padre odia a muerte a los Obregón —prosiguió—. ¿Conoces la historia de Beatriz y el collar de compromiso?

—Las Lágrimas de Shiva, sí —asentí mientras daba cuenta a toda prisa de mi primera cerveza.

—Pues yo creo que lo que cabreó tanto a mi familia no fue el robo del collar, sino que una Obregón osara dejar plantado a un Mendoza al pie del altar. Se lo tomaron como un insulto y así han seguido durante setenta años, que se dice pronto. Para mi padre es una cuestión personal, como si el novio desairado hubiera sido él —hizo un gesto de resignación—. Si se empeña en que me vaya a Estados Unidos, no tendré más remedio que irme.

—¿Por qué no te enfrentas a él?

Gabriel sonrió con amargura.

—Tú no conoces a mi padre —repuso—. Es una fiera. Si se me ocurriera desobedecerle... En fin, no sé lo que haría. Desollarme vivo, probablemente —sacudió la cabeza—. ¿Sabes que ha contratado a un detective para que me siga? —señaló hacia la barra del

163

bar—. ¿Ves a ese tipo calvo y con gabardina, el que simula leer un periódico?... Pues es mi Humphrey Bogart particular. Me sigue a todas partes, como un perro faldero.

Alzó una mano y saludó al tipo de la barra; éste apartó la mirada, azorado, y fingió concentrarse en la lectura del diario.

No es preciso relatar con detalle cómo se desarrolló el resto del encuentro. Gabriel se enredó en una larga charla —monólogo más bien— sobre su padre, sobre Rosa y sobre la absurda rivalidad que enfrentaba a las dos familias. Y, mientras hablaba, no dejaba de beber cerveza, y de pedir nuevas rondas; y yo, lo confieso, seguí su ritmo de bebida con creciente entusiasmo. En resumen, al cabo de una hora estábamos borrachos: él, un poco; yo, como una cuba.

A partir de entonces no recuerdo muy bien cómo se desarrollaron los acontecimientos. En algún momento, Gabriel se aproximó al detective y le invitó a sentarse con nosotros. El pobre hombre parecía muy cohibido, al menos al principio; pero luego, conforme la cerveza le hacía efecto, se fue mostrando cada vez más desinhibido. Al cabo de un par de horas, tras consumir no sé cuántas cervezas y escuchar varias veces las penas amorosas de Gabriel, el detective, embriagado de solidaridad etílica, comenzó a maldecir su oficio y juró que abandonaría el caso al día siguiente. Entonces Gabriel intentó convencerle de que no lo hiciera, asegurándole que no era culpa suya, y que, si un detective había de seguirle, prefería que fuera él. En fin, la conversación se volvió un poco absurda, aun-

164

que justo es reconocer que aquel sabueso resultó ser un hombre muy simpático.

Regresé a Villa Candelaria pasadas las diez y media de la noche, empapado (me había olvidado el paraguas) y haciendo eses. Intenté introducir la llave en la cerradura, pero la tarea resultó más compleja de lo que cabe suponer, entre otras cosas porque yo veía doble y el jardín no paraba de dar vueltas. El caso es que debí de hacer más ruido de lo que pensaba, porque la puerta se abrió repentinamente, y allí estaba Margarita, mirándome con ironía.

—Vaya cogorza que llevas, primito —se limitó a decir.

Intenté contestar algo, pero Margarita me cogió de un brazo, me condujo a mi habitación, me sentó en la cama, desapareció como por ensalmo y regresó unos minutos después en compañía de Rosa y Violeta.

—Le he contado a mis padres que te ha sentado mal algo que has comido —dijo Margarita—, que no quieres cenar y que te vas a la cama de cabeza, así que no hagas mucho ruido.

Violeta no dijo nada, pero jamás he visto tanta reprobación en una mirada. Rosa se aproximó a mí y me contempló con preocupación.

—¿Estás bien, Javier? —preguntó.

—Claro que sí... —masgullé; tenía la lengua como de trapo—, estoy ferpec..., prefec..., de puta madre...

—¿Has visto a Gabriel?

—Sí... —sonreí tontamente—. Tu novio es un tío fenomenal, ¿sabes?

—¿Le diste mi carta?

—Claro...

—¿Y qué dijo?

Fruncí el ceño e hice memoria. Gabriel me había dicho muchas cosas, demasiadas para recordarlas todas; sin embargo, tras un prolongado esfuerzo, un tenue rayo de luz logró quebrar las tinieblas que oscurecían mi cerebro.

—¡Ah, sí! —exclamé—. Me pidió que te contara algo... Dijo que ya no podréis estar juntos en Madrid el curso que viene, porque... ¿Cómo era?... Ah sí, porque su padre le manda a estudiar a Estados Unidos... También dijo que te quiere mucho...

Rosa se quedó demudada, como si le hubiera pegado una bofetada. De repente, los ojos se le llenaron de lágrimas, dio media vuelta y salió del cuarto a toda prisa. Margarita sacudió la cabeza y fue tras ella. Violeta, por su parte, se quedó mirándome como si yo fuera un vampiro que acabara de chuparle la sangre a una desvalida doncella.

—¿Qué pasa?... —pregunté, desconcertado—. ¿Qué he hecho?...

—¿No te da vergüenza? —me espetó—. Llegas tarde, estás borracho y... ¿Cómo se te ocurre decirle eso a Rosa, así, de sopetón? Eres un bruto sin una pizca de sensibilidad, eres...

Violeta dedicó los siguientes minutos, y todo su entusiasmo, a ponerme a bajar de un burro, aunque lo cierto es que no recuerdo casi nada de lo que me dijo; entre otras cosas porque en algún momento de la bronca me quedé profundamente dormido.

* * *

Desperté de madrugada, bruscamente, sintiéndome fatal. Estaba muy mareado, así que tuve que ir a toda prisa al cuarto de baño para vomitar. El resto de la noche fue un constante ir y venir de la cama al baño y viceversa, pues a causa de la mucha cerveza que había bebido no cesaba de orinar.

Me levanté pronto, aunque mi estado no podía ser más deplorable; me dolía la cabeza, notaba la boca pastosa y tenía el estómago revuelto. Cuando bajé a desayunar coincidí en la cocina con doña Ramona, la asistenta.

—Qué mala cara tienes, Javieruco; ¿estás enfermo? —Ramona se acercó a mí, me observó con detenimiento y exclamó—: ¡Qué enfermo ni qué narices! ¡Lo que tú tienes es una resaca de aúpa!

Al alzar ella la voz, sentí como si me hincaran un clavo entre los ojos. Afortunadamente, doña Ramona procedió acto seguido a aliviar mis males con maternal diligencia, dándome aspirinas y sal de frutas, y preparándome dos tazas de café muy cargado. Media hora más tarde, cuando me sentí algo mejor, regresé al segundo piso. Al atravesar el pasillo escuché hablar a mis primas en el dormitorio de Rosa, y a punto estuve de entrar, pero entonces recordé el vergonzoso episodio de la noche anterior y al instante cambié de idea.

No tenía ganas de ver a nadie, ni de quedarme en casa, pero seguía lloviendo y no podía salir, así que pasé un rato en mi cuarto, sintiéndome enfermo y un poco deprimido. Al cabo de casi una hora, harto de las cuatro paredes del dormitorio, y tras asegurarme de que no había nadie por los alrededores, me dirigí a to-

167

da prisa a la biblioteca. Estuve unos minutos revolviendo entre los libros, hasta que encontré un ejemplar de *La guerra de los mundos*, de H. G. Wells. Ya lo había leído, pero se trataba de una edición ilustrada de los años veinte, muy curiosa, de modo que me senté en una silla y comencé a hojearlo.

Pero todavía me dolía la cabeza y no lograba concentrarme. Al poco, mientras mis pensamientos divagaban sin rumbo fijo, aparté la mirada de las páginas del libro y la centré en el retrato de Beatriz Obregón.

Hacía días que no me acordaba de ella. Pero ahí estaba, con la mirada triste y las Lágrimas de Shiva en torno a su cuello. ¿Qué le había ocurrido a aquella mujer? Si Violeta tenía razón, intentó huir de España en el *Savanna* y la tripulación la asesinó para robarle las Lágrimas. Pero, ¿qué fue del collar? Los piratas del *Savanna* debieron de venderlo en algún lugar de América o Europa, supuse, o quizá lo desmontaron, fundieron el oro y vendieron las esmeraldas y los diamantes por separado. En cualquier caso, las Lágrimas de Shiva se habían perdido para siempre.

Entonces pensé algo: dicen que el aleteo de una mariposa en Tokio puede, por un prodigioso efecto multiplicador, provocar un huracán en Florida. Pues eso mismo había ocurrido con la desaparición del collar. Al robarlo, Beatriz causó la enemistad entre su familia y los Mendoza, lo que provocó la ruina de los Obregón durante la Guerra Civil. Y ahora, aquel mismo robo se interponía entre Rosa y Gabriel.

Abstraído en mis pensamientos, casi ni me di cuenta de que Ramona entraba en la biblioteca y comenzaba a quitar el polvo de los anaqueles abarrotados de libros.

—¿Qué tal estás, Javieruco? —me preguntó.

—Mejor, gracias... —contesté, con la mirada fija en el retrato de Beatriz.

Doña Ramona le echó un vistazo al cuadro y comentó:

—La señorita Beatriz era muy guapa, ¿verdad?

Miré a la asistenta de soslayo.

—¿Sabe usted quién era Beatriz Obregón? —pregunté.

—Claro; dejó plantado a un Mendoza en el altar y robó un collar muy caro; ése mismo que lleva en el cuadro. Todavía se cuentan chismes sobre ella. Además, doña Amalia suele hablarme de la señorita Beatriz. La apreciaba mucho.

Me froté los ojos con el índice y el pulgar; todavía me dolía la cabeza... De repente, di un bote sobre el asiento. ¿Qué había dicho la asistenta?

—¿Qué ha dicho, Ramona?

—¿Cómo?

—Me contaba que alguien le habló de Beatriz Obregón, ¿quién?

—Doña Amalia.

Doña Amalia. Amalia. El mismo nombre que apareció escrito en el vaho del espejo. Me puse en pie tan bruscamente que tiré al suelo el libro de Wells. Ramona dejó de limpiar el polvo.

—¿Te pasa algo, Javieruco? Estás como la cera...

—¿Quién es doña Amalia? —pregunté con un hilo de voz.

—Pues Amalia Bareyo. Trabajó de criada en esta casa hace un montón de años. ¿Pero qué...?

—Un momento —la interrumpí—. ¿Amalia Bareyo conoció a Beatriz Obregón?

—Ya te he dicho que trabajó aquí; era su doncella.

—¿Y usted conoció a Amalia?

—Pues claro, es vecina mía desde hace no sé cuánto tiempo. Me la encuentro muchas veces por la calle, o en la iglesia.

Me quedé con la boca abierta y los ojos como platos.

—¿Quiere..., quiere decir que aún vive? —musité.

—Y como una rosa que está. Debe de tener casi noventa años y todavía se vale por sí misma. Vive con una hija suya, pero baja al mercado ella sola, y se hace la comida, y más de una vez la he pillado tomándose un vinito a escondidas en el bar de la esquina. Como una rosa, ya te digo. Bueno, anda un poco sorda, y a veces se le va la cabeza, pero...

Dejé de prestar atención. De repente, la resaca se había esfumado y me sentía como flotando en una nube.

—No se mueva de aquí, Ramona —dije, interrumpiendo su perorata sobre la buena salud de Amalia Bareyo—. Siga a lo suyo, pero no se vaya antes de que Violeta y yo hablemos con usted, ¿eh? Espérenos, que vuelvo en seguida.

Salí a la carrera de la biblioteca y fui en busca de Violeta. La encontré en la torre, sentada frente a la máquina de escribir.

—Hombre —comentó con el ceño fruncido al verme entrar—, pero si está aquí mi primo el alcohólico.

Me aproximé a ella y alcé el índice de la mano derecha, justo delante de su nariz.

—Vale —dije—. Estuve tomando unas cervezas con el novio de tu hermana y me pasé de la raya. Lo lamento. También siento mucho haberle hablado con tanta brusquedad a Rosa. Perdón, perdón, perdón y mil veces perdón. Pero, ¿quieres dejar de regañarme de una dichosa vez? Desde que he llegado a esta casa no has parado de echarme broncas. ¡Pareces mi madre! Vale ya, ¿no?

Violeta parpadeó varias veces y abrió la boca para decir algo, pero volvió a cerrarla y se me quedó mirando, un tanto confundida por mi súbito acceso de genio.

—Y ahora que eso está aclarado —proseguí con más calma—, escúchame con mucha atención, porque te voy a contar algo increíble...

8. *La vieja doncella*

A malia Bareyo vivía en un humilde barrio situado a las afueras de Santander. Después de que doña Ramona nos proporcionara su dirección, Violeta y yo nos dirigimos al domicilio de la anciana criada, un pequeño piso que compartía con su hija menor.

La hija de doña Amalia, una viuda de sesenta y tantos años de edad llamada Carmen, se extrañó mucho de que quisiéramos hablar con su madre, pero Violeta le contó que se acababa de enterar de que doña Amalia había trabajado en Villa Candelaria a principios de siglo, y deseaba preguntarle cosas sobre los Obregón de aquella época. Carmen aceptó la explicación y nos condujo a una pequeña sala de estar. Allí se encontraba Amalia Bareyo, sentada en una mecedora junto a la ventana, haciendo punto con manos sorprendentemente firmes para su edad. Era una anciana menuda y enjuta, con los blancos cabellos recogidos en un apretado moño y el rostro plagado de arrugas. Vestía enteramente de negro y usaba unos lentes anticuados, de montura dorada, tras los que se agazapaban unos ojillos oscuros y vivaces.

—Estos chicos quieren hablar con usted, madre —le dijo Carmen alzando la voz.

Doña Amalia dejó las agujas sobre el regazo.

—¿Sois mis nietos? —nos preguntó con voz grave y un poco rota—. ¿O bisnietos? Tengo tantos que ya ni me acuerdo de sus caras...

—No son de la familia, madre. La muchacha es hija de los Obregón, los de Villa Candelaria, ¿se acuerda? Quiere preguntarle a usted sobre sus años mozos —Carmen se volvió hacia nosotros y agregó en voz baja—: Me voy a la cocina. Madre tiene buen trato, pero está muy mayor y a veces se le va un poco la cabeza. Si necesitáis algo, llamadme.

Doña Amalia observó cómo su hija salía del salón y luego clavó la mirada en Violeta.

—Así que tú eres una Obregón, ¿eh? —murmuró.

—Me llamo Violeta —asintió mi prima.

—¿Qué dices? Habla más alto.

—Digo que me llamo Violeta Obregón. Él es mi primo Javier.

La anciana nos miró alternativamente, quizá con un punto de recelo, y luego le preguntó a Violeta:

—Bueno, ¿qué queréis?

—Doña Ramona, su vecina, me ha contado que usted trabajaba en Villa Candelaria hace setenta años.

—Pues es cierto. Entré a servir en esa casa cuando tenía quince, y allí estuve hasta que cumplí los veintidós y me casé con el pobre Marcelo, que en paz descanse. ¿Y qué?

—Usted conoció a mi tatarabuelo Teodoro y a sus hijos Ricardo y Beatriz. ¿Cómo eran?

Doña Amalia profirió una risa cascada que nada tenía de alegre.

—Don Teodoro —dijo— no era buena persona, y su mujer tampoco. Se creían más importantes que el duque de Alba, pero sólo eran unos ricachones engreídos. A mí me trataban como si fuera una mierda. Por un sueldo de miseria me tenían trabajando todo el día como una esclava, y ni siquiera se molestaban en dirigirme una palabra amable. La mayor alegría de mi vida fue largarme de esa casa.

—¿Y los hijos? —preguntó Violeta.

—El señorito Ricardo era igual que su padre, o peor. La suerte es que se casó joven y en seguida le perdí de vista. Menudo figurín estaba hecho. Como dicen mis nietos, era un gilipollas —rió entre dientes, satisfecha del adjetivo—. Eso, un gilipollas.

—¿Y Beatriz? —tercié yo.

La mirada de doña Amalia se dulcificó.

—La señorita Beatriz no se parecía en nada a su familia —dijo con inesperada suavidad—. Era amable, atenta y muy sencilla. Hablaba mucho conmigo y me hacía confidencias, era una buena mujer. Ella me gustaba; parece mentira que fuese una Obregón —suspiró—. Pero supongo que las flores más bonitas crecen en los estercoleros.

—Usted aún estaba en Villa Candelaria cuando Beatriz desapareció, ¿no? —preguntó Violeta.

La anciana asintió con un débil cabeceo.

—Era su doncella —dijo en voz baja—. También

174

trabajaba en la cocina y limpiaba la casa, pero servir a la señorita Beatriz me gustaba. Me quedé muy sola cuando se fue.

—¿Y por qué se fue?

Doña Amalia hizo una mueca que quizá fuera una sonrisa burlona.

—La señorita Beatriz no se llevaba bien con su familia; discutía mucho con don Teodoro y apenas se hablaba con su hermano. Y encima llegó lo de la boda; su padre quería obligarla a casarse con Sebastián Mendoza. ¡Menudo tipo! Era insoportable, un pisaverde petulante. La señorita Beatriz le despreciaba, por eso se largó. E hizo muy bien, qué diantre.

—¿Y adónde fue? —preguntó Violeta—. ¿No se lo contó Beatriz?

La anciana sacudió la cabeza.

—Pero usted dijo antes que ella le hacía confidencias, ¿no? Algo tuvo que decirle.

—Pues no me contó nada, niña. Se fue y ya está. Eso es todo.

—¿Y no le habló del *Savanna*?

—¿Qué?...

—El *Savanna*, un navío mercante. Su capitán se llamaba Simón Cienfuegos. Puede que Beatriz se fuera de Santander en ese barco.

Hasta aquel momento, doña Amalia se había comportado con mucha lucidez para su avanzada edad, pero de pronto pareció encogerse, marchitarse, como si sus casi noventa años se hubieran desplomado repentinamente sobre ella.

—No sé nada de ningún barco... —musitó—. La

175

señorita se fue hace mucho... Yo era tan joven, y ahora soy tan vieja... —volvió la mirada hacia la ventana y guardó silencio; tanto que llegué a pensar que se había olvidado de nosotros.

Y en cierto modo así era, porque de pronto nos miró con desconcierto y dijo en voz muy baja:

—Vosotros no sois mis nietos, ¿verdad?...

Luego, dejó caer la cabeza, cerró los ojos y se quedó muy quieta, como dormida, aunque por detrás de sus arrugados párpados se percibía el titubeo de las pupilas. Al poco, Violeta me indicó con un gesto que nos fuéramos, y eso hicimos.

***

Tras despedirnos de la hija de doña Amalia, nos dirigimos a la parada del autobús. Llovía mansamente, aunque empezaban a abrirse claros en el cielo, señal de que el clima iba a cambiar. Cuando llegamos a la parada, Violeta se volvió hacia mí y me preguntó:

—¿Qué te parece?

—¿El qué?

—Amalia Bareyo.

—Pues que es muy vieja y está hecha polvo. Eso sí, tus antepasados le caían fatal.

Violeta arqueó las cejas.

—Esa mujer miente —dijo, tan seria como un juez dictando sentencia.

—¿Por qué dices eso?

—¿Te fijaste en cómo reaccionó cuando mencioné el *Savanna*? Si no llega a estar sentada, se cae de culo. Claro que había oído hablar del barco y de Simón

Cienfuegos. Y cuando se puso a chochear fingía, estoy segura. Nos ha mentido, Javier.

—¿Y por qué iba a mentirnos?

—Porque oculta algo.

—¿El qué?

Mi prima se encogió de hombros.

—No lo sé —hizo una larga pausa y agregó—: Quizás estaba conchabada con el capitán Cienfuegos. Imagínate que, para no despertar sospechas, Beatriz le pide a su doncella que le busque pasaje en un barco con destino a América. Entonces Amalia habla con el capitán Cienfuegos, le dice que su patrona piensa fugarse con un collar carísimo y le propone un plan: ella conseguiría que su patrona embarcase en el *Savanna*, y el capitán se desharía de ella en alta mar. Luego, venderían las Lágrimas de Shiva y se repartirían el dinero.

La miré con escepticismo.

—No me imagino a esa mujer planeando la muerte de nadie —objeté.

—Ahora no, porque es más vieja que Matusalén. Pero, ¿y cuando tenía diecisiete años? Ya has oído cómo hablaba de mi familia; es una resentida. Seguro que escupía en la sopa cuando servía la mesa.

Moví la cabeza de un lado a otro.

—Ya te estás montando una de tus películas.

En ese preciso momento llegó el autobús. Antes de subir al vehículo, Violeta me señaló con un dedo y dijo:

—Aquí hay gato encerrado, estoy segura. Así que, en cuanto lleguemos a casa, volveremos al trastero.

No me preguntó mi opinión al respecto, pero así era mi prima. En cualquier caso, no protesté, pues en el fondo yo también empezaba a creer que Amalia Bareyo había mentido.

* * *

Reanudamos la exploración del desván esa misma tarde. Ya sólo nos faltaban unos tres metros para alcanzar el fondo, así que estuvimos trabajando hasta el anochecer y proseguimos a la mañana siguiente. Apenas hablábamos.

El viernes, justo el primero de agosto, Violeta y yo tropezamos con un serio problema en forma de armario de tres cuerpos. Se interponía en nuestro avance y no sólo era muy grande y muy pesado, sino que además estaba encajado entre los demás bártulos, de tal forma que resultaba imposible moverlo.

Tardamos casi dos horas en desplazar el mueble a un lado, y el tremendo esfuerzo que tuvimos que hacer para conseguirlo puso en evidencia que nosotros solos nunca lograríamos apartarlo de donde estaba. Violeta se dejó caer sobre una caja y apoyó los codos en las rodillas; parecía agotada y yo creo que, por primera vez, un poco desmoralizada.

El armario era bonito, de madera pintada de verde con molduras doradas, y aunque estaba cubierto de polvo, parecía hallarse en perfecto estado. ¿Por qué habría acabado en el trastero? Abrí sus tres puertas; estaba vacío, salvo por la revista que encontré en uno de los cajones. Se llamaba *La moda elegante* y debían de haberla usado para forrar el fondo del cajón, porque le faltaba la mayor parte de las hojas. Sin embargo, conservaba intacta la fecha de publicación.

—Esta revista es de mil ochocientos noventa y nueve —comenté.

—¿Y qué? —repuso Violeta en tono desanimado.

—Pues que estaba ahí dentro. Supongo que eso significa que el armario es de la época de Beatriz, ¿no?

Mi prima alzó la cabeza y contempló el mueble con repentino interés. Luego, miró en derredor y, de repente, se puso en pie.

—¡Fíjate! —exclamó—. Ahí hay un tocador a juego con el armario, y el cabecero de una cama, y una cómoda... ¡Es un dormitorio!

Tenía razón. Delante de nosotros, rodeado de trastos inservibles, estaba el mobiliario, completo y en perfectas condiciones, de un antiguo dormitorio. Nos miramos sin decir nada, ya que las conclusiones de aquel hallazgo eran evidentes. ¿Por qué alguien se desharía de unos muebles caros, bonitos y en buen estado? Quizá porque traían malos recuerdos. Puede que los padres de Beatriz, avergonzados por la fuga de su hija, decidieran apartar de su vista cualquier rastro de ella, razón por la cual guardaron en el desván todo lo que había dejado en la casa.

De modo que quizás ése fuera el dormitorio de Beatriz.

Violeta fue la primera en reaccionar. Sorteó el armario a toda prisa y comenzó a examinar los muebles.

—¡Mira! —exclamó—. ¡Detrás de ese escritorio hay un baúl! Vamos, ayúdame...

Me acerqué a ella y juntos apartamos el escritorio, en

179

realidad un pequeño buró de madera oscura. Mi prima tenía razón: detrás había un viejo baúl. Lo sacamos a empujones de donde estaba y nos inclinamos para verlo mejor. Sobre la cerradura, en una plaquita de metal, estaban grabadas unas iniciales. Una «B» y una «O».

—Beatriz Obregón... —musité.

Intentamos abrirlo, pero estaba cerrado con llave, de modo que cogí un destornillador y, haciendo palanca, forcé la cerradura. Luego, lentamente, como si fuera el cofre de un tesoro, Violeta abrió la tapa del baúl y por fin pudimos ver lo que había en su interior.

Contenía dos juegos de sábanas, una colcha, toallas, fundas para cojines, tapetes, pañuelos bordados... En resumen, el ajuar completo para una boda. También había un velo, y un traje blanco, el mismo traje que Beatriz llevaba puesto cuando pintaron su retrato.

—Así que Beatriz va vestida de novia en el cuadro —comenté—. No me había dado cuenta.

Violeta sacó el traje y lo extendió frente a sí.

—Está nuevo —observó—. Claro, como nadie lo ha usado nunca...

Aparte del ajuar y del vestido, no había nada más en el baúl. Violeta y yo comenzamos entonces a registrar los demás muebles del dormitorio, pero tampoco encontramos nada en el tocador, ni en la cómoda, ni en la mesilla de noche. No sé a ciencia cierta qué esperábamos hallar, pero allí sólo había muebles viejos y polvo. Violeta paseó la mirada en derredor, como si buscara algo que se nos hubiera pasado por alto, y de pronto la fijó en el buró que habíamos apartado para sacar el baúl.

—¡El escritorio! —exclamó.

—No hace juego con los otros muebles —objeté.

—Porque en las alcobas no suele haber escritorios. Pero quizá Beatriz tenía uno.

Bueno, no perdíamos nada comprobándolo. El pequeño buró era de roble oscuro y se cerraba con una persiana de varillas. Tenía cinco cajones: uno grande, central, y dos más pequeños a cada lado. Los revisamos todos, pero de nuevo no encontramos nada.

Violeta respiró hondo y dejó escapar el aire lentamente. Otra vez parecía desmoralizada.

—En fin —dijo con desánimo—, se acabó. Aquí no hay nada. Anda, vámonos. Mañana pondremos todos estos trastos en su sitio.

Echó a andar hacia la salida, pero yo me quedé quieto, con la vista fija en el buró, porque de pronto había recordado algo.

—Espera un momento —dije.

Mi prima se detuvo.

—¿Qué pasa?

—José Mari, un amigo mío, tiene en su casa un escritorio muy parecido a éste.

—¿Y qué?

—Pues que en el escritorio de mi amigo hay un compartimento oculto.

Me acerqué al buró y saqué los dos cajones pequeños de la izquierda. Metí la mano en el hueco del de arriba, pero no encontré nada. Probé en el de abajo y, con la yema de los dedos, noté una moldura al fondo. La oprimí, sonó un clic y, de repente, impulsado por un resorte, saltó hacia delante un pequeño cajón.

Violeta y yo nos inclinamos a la vez para ver mejor aquel inesperado compartimento oculto. En su interior había un sobre doblado por la mitad. Lo cogí con mucho cuidado, como si temiera que fuera a deshacérseme entre los dedos, y lo desdoblé.

Era una carta dirigida a Beatriz Obregón.

Y la había escrito Simón Cienfuegos, el capitán del *Savanna*.

9. La carta

El sobre estaba matasellado en Estados Unidos y contenía dos hojas de papel plegadas. Una de ellas había sido redactada con la letra irregular y torpe, propia de alguien poco habituado a escribir, e iba firmada por Simón Cienfuegos; la otra mostraba la esmerada caligrafía, trazada con tinta verde, de Beatriz Obregón.

Cuando desplegué la carta de Cienfuegos, Violeta y yo unimos las cabezas para leerla a la vez, allí, en el desván, bajo la amarillenta luz de la bombilla desnuda que pendía del techo. La misiva estaba fechada el veintidós de marzo de 1901 y decía así:

Querida Beatriz:

Te escribo estas letras nada más recalar en Nueva Orleans, tras cruzar el Golfo de México desde Veracruz. Mi tripulación y yo hemos pasado tres meses fondeando en diversos puertos del Caribe, en

Venezuela, Colombia, Panamá, Costa Rica y Nica-
ragua, antes de dirigirnos a Estados Unidos; pero, co-
mo sólo me fío del servicio de correos yanqui, he
esperado a alcanzar estas costas para escribirte.

Poco puedo contar acerca de mí, pues nada digno
de mención ha sucedido desde que nos separamos.
Onofre, uno de mis hombres, se rompió una pierna y
tres costillas al caerse del trinquete y tuvimos que de-
jarle en un hospital de Cartagena de Indias. Un mes
después, una tormenta nos sorprendió entre Cuba y
Cozumel, pero el Savanna es un buen navío y salimos
sanos y salvos del trance. Por lo demás, todo ha sido
comprar y vender mercancías, como siempre.

Pero no es de esto de lo que quiero hablarte, sino de
mis sentimientos, e ignoro cómo hacerlo. No soy hom-
bre instruido, bien lo sabes, y me veo incapaz de en-
contrar las palabras hermosas que tú merecerías oír, de
modo que me conformaré con decirte llanamente lo
que siento.

Cada día, cuando estoy trabajando en la cubierta, o
descansando en mi camarote, pienso en ti. Por las no-
ches, durante mi turno de guardia, mientras el Savanna
surca las aguas bajo las estrellas, pienso en ti. Y tam-
bién pienso en ti cuando, después de una dura jornada
de trabajo, me voy a la cama. Y al dormirme, es conti-
go con quien sueño y, al despertar, mi primer pensa-
miento está dedicado a ti. Muchas veces, creo oler el
aroma a nardos de tu perfume, y me doy la vuelta para

184

buscarte, pero tú no estás. Y, cuando recalamos en algún puerto, no puedo evitar ver tu imagen en todas las mujeres con quienes me cruzo, pero ninguna eres tú. No puedo quitarte de mi cabeza, y tampoco quiero hacerlo, porque te necesito como al aire que respiro, porque nunca he amado a nadie como te amo a ti.

Y por eso no quiero obligarte a hacer algo de lo que más tarde podrías arrepentirte. Durante nuestro último encuentro, mientras nos despedíamos en el puerto, te pedí que, cuando regresara a España en mi siguiente viaje, lo dejaras todo y te vinieras conmigo. Dijiste que sí, y yo me sentí el hombre más dichoso del mundo. Pero luego, a lo largo de los meses pasados, me he dado cuenta de que estaba siendo injusto contigo.

No tengo nada que ofrecerte, salvo la vida dura y azarosa de un marino. Carezco de fortuna y no poseo más bienes que el Savanna. No pertenezco a tu clase, no tengo educación y ni siquiera mi piel es como la tuya, porque soy el hijo bastardo y mestizo de una esclava negra. Piénsalo, Beatriz, piénsalo muy bien, porque tú te mereces mucho más de lo que yo puedo darte. Si decidieras cambiar de idea, si me dijeras que ya no quieres venir conmigo, yo lo comprendería. Por mucho que lo sintiese, lo comprendería y sería feliz sabiendo que tú lo eres, aunque fuese lejos de mí.

Cuando el Savanna abandone el puerto de Nueva Orleans nos dirigiremos a Miami, a Santiago de Cuba y a Kingston. Luego, cruzaremos el océano y, tras recalar un par de días en Plymouth, pondremos rumbo a Santander. Si todo va bien, llegaremos allí a finales de primavera.

Piensa en lo que te he dicho, Beatriz, y cuando volvamos a encontrarnos dame tu respuesta. Ten presente que, decidas lo que decidas, siempre te querré. Con todo mi amor,

Simón Cienfuegos

Cuando acabamos de leer la carta, Violeta y yo nos miramos en silencio. De repente, la historia de Beatriz Obregón había dado un giro inesperado y no sabíamos qué pensar ni qué decir. Violeta cogió la segunda hoja del sobre y de nuevo juntamos las cabezas para leer lo que Beatriz había escrito sesenta y ocho años atrás.

Mi querido, mi adorado Simón:

Sé que nunca leerás esta carta, pues no tengo modo de hacértela llegar. Aun así, me decido a escribirte, ya que mientras lo hago me invade la ilusión de estar hablando contigo. Y te añoro tanto, amor mío, te echo tantísimo de menos...

Al recibir tu carta me alegré tanto que

186

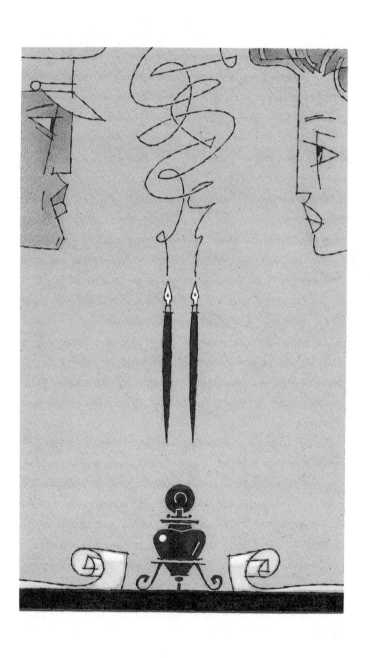

creí que el corazón iba a saltarme del pecho; pero luego, cuando la leí, me sentí muy triste. ¿Cómo puedes dudar de mí? ¿Cómo puedes pensar que iba a cambiar de parecer sobre lo que te dije aquella mañana en el puerto? Me he enfadado un poco contigo, Simón, lo reconozco. Pero luego he comprendido que lo único que pretendes es mi bienestar, y al darme cuenta de que serías capaz de renunciar a mí si ello contribuyera a mi felicidad, te quise más que nunca.

¿Pero es que no te das cuenta de que sólo puedo ser feliz a tu lado?

Dices en tu carta que no perteneces a mi clase, y yo le doy gracias a Dios porque así sea, pues no sabes lo mucho que desprecio a esos que tú llamas «de mi clase».

Dices que no tienes educación, pero yo sé muy bien que, entre los «de mi clase», la educación se confunde frecuentemente con el fingimiento y la apariencia. Por el contrario, tú eres la persona más auténtica, noble y sabia que he conocido.

Dices que no tienes nada que ofrecerme, que careces de fortuna y bienes, pero eso no es cierto. Tú vives en el mar, y no

188

hay hombre en el mundo que posea un palacio mayor ni más hermoso.

Dices que tu piel no es como la mía, pero yo adoro cada poro de esa piel, cada palmo de tu cuerpo tallado en ébano. Eres oscuro y embriagador, Simón, como las noches del trópico.

¿Y todavía preguntas si quiero irme contigo? Claro que sí, amor mío, y ahora mismo si pudiera.

Pero ven pronto a buscarme, Simón, apresúrate. Mi padre ya ha fijado la fecha de la boda y el diez de junio deberé casarme con Sebastián Mendoza. Me estremezco sólo de pensarlo.

En tu carta afirmas que regresarás a Santander a finales de primavera. Le he pedido a Amalia que vaya todos los días al puerto para comprobar si el Savanna ha llegado. Tú ya conoces a la pequeña Amalia; es fiel y discreta, y ambas nos profesamos un sincero afecto. Cada atardecer, cuando regresa de los muelles, aguardo impaciente que me traiga noticias tuyas, pero eso todavía no ha ocurrido.

Date prisa en volver, amor mío, date muchísima prisa...

Mi prima y yo volvimos a mirarnos en silencio. Al poco, Violeta suspiró, cogió las dos cartas y salió a la terraza. Fui tras ella. Al cruzar la puerta del desván noté una ráfaga de viento en el rostro y alcé la mirada al cielo. La brisa arrastraba hacia el Oeste las últimas nubes de la tormenta. Anochecía.

—Bueno —comenté—, al final no era una novela de crímenes, sino de amor.

—Eso parece —contestó Violeta con la mirada perdida en la lejana curva del mar; el viento le alborotaba los cabellos—. Mejor —añadió—. La historia es más bonita así.

—Aunque tu antepasada era un pelín cursi...

Violeta sonrió.

—Estaba enamorada —dijo—, y la gente se vuelve cursi cuando se enamora.

—En fin, parece que aquí se acaba todo, ¿no? —concluí—. Beatriz robó las Lágrimas de Shiva y se fugó a América con Simón Cienfuegos. Imagino que luego vendieron el collar y fueron felices y comieron perdices.

Violeta negó con la cabeza.

—No, Javier, esto todavía no se ha acabado. Amalia Bareyo nos dijo que nunca había oído hablar del *Savanna* y que no conocía al capitán Cienfuegos —alzó la carta de Beatriz—. Pero aquí pone todo lo contrario.

—Es verdad —asentí—, la abuela mintió. Pero, ¿qué importa? Ya sabemos lo que pasó, ¿no?

Violeta introdujo las dos cartas en el sobre y se lo guardó en el bolsillo trasero del pantalón.

190

—Sólo sabemos que Beatriz se fugó con el capitán Cienfuegos —dijo—. Pero, ¿cómo se conocieron y cómo llegaron a enamorarse? Eso sólo puede contárnoslo doña Amalia.

* * *

Al día siguiente, a media mañana, nos presentamos de nuevo en el domicilio de Amalia Bareyo, pero la anciana no estaba en casa. Doña Carmen nos dijo que su madre había salido para hacer unas compras, de modo que nos dirigimos a un mercado cercano, pero tampoco la encontramos allí. Entonces recordé que, según Ramona, Amalia solía frecuentar una tasca cercana a su casa, así que comenzamos a buscarla por los bares del barrio.

Dimos con ella en el tercero que visitamos. Estaba sentada a una mesa, mirando a través del ventanal a la gente que pasaba por la calle, y dándole sorbitos a un vaso de vino mientras descansaba la mano izquierda sobre la empuñadura de su bastón. Cuando nos acercamos a ella, Amalia nos contempló con una mezcla de sorpresa y fastidio.

—¿Otra vez vosotros? —gruñó—. ¿Y ahora qué queréis?

Sin esperar a que la anciana nos invitara a hacerlo, Violeta se sentó a la mesa y me indicó con un gesto que me acomodara a su lado.

—Queremos que nos hable de Beatriz Obregón —le dijo a Amalia.

—Ya os hablé de ella el otro día. ¿Qué narices queréis que os cuenta ahora?

—La verdad.

Violeta sacó del bolsillo el sobre que encontramos en el escritorio y lo puso encima de la mesa. Amalia lo contempló con el ceño fruncido.

—¿Qué es eso? —preguntó.

—Una carta del capitán Simón Cienfuegos dirigida a Beatriz Obregón. Estaba en el desván de Villa Candelaria.

La anciana se quedó mirando el sobre largo rato, en silencio. Le dio un sorbo a su vaso de vino y, como si aquel trozo de papel le hubiera traído buenos recuerdos, sonrió.

—La señorita Beatriz me leyó esa carta cientos de veces —dijo en voz baja—, y a mí me encantaba oírla. Yo era una cría por aquel entonces y aún me encandilaba con esas paparruchas románticas.

—Entonces, usted sí que conocía al capitán Cienfuegos.

—Claro que le conocía.

—¿Y por qué nos mintió?

El rostro de Amalia recuperó su huraña expresión habitual.

—Porque eres una Obregón, niña —contestó—. Y a mí no me gustan los Obregón.

—Mi familia ha cambiado mucho desde que usted trabajó en Villa Candelaria —repuso Violeta con suavidad—. Si quiere, puede preguntárselo a doña Ramona, su vecina. Ahora nos parecemos más a Beatriz que a su padre.

—La mala sangre se hereda —replicó con acritud la anciana.

—Bueno, haga la prueba. ¿Por qué no nos cuenta cómo se conocieron Beatriz y Simón Cienfuegos?

Amalia dudó unos instantes y dejó escapar un débil suspiro. Tras un nuevo sorbo de vino, comenzó a hablar.

—La señorita Beatriz solía pasear por el puerto y yo la acompañaba, aunque me daba un poco de miedo, porque en los muelles había muchos hombres y no todos eran de fiar. Pero a la señorita le gustaban los barcos; se imaginaba de dónde venían y adónde iban, y hacía planes fantasiosos sobre los países que, algún día, pensaba visitar —hizo una pausa—. Creo que fue durante la primavera de mil ochocientos noventa y nueve cuando sucedió. Una tarde, nos quedamos en el puerto más tiempo de lo normal. Cuando comenzó a anochecer nos dirigimos a casa, pero entonces nos salieron al paso tres marineros. Estaban borrachos y traían malas intenciones. Al principio se conformaron con decirnos groserías, pero luego empezaron a forcejear con nosotras. A mí me rasgaron el vestido; creí que nos iban a violar allí mismo...

La anciana extravió la mirada, como si su mente hubiera encallado en algún remoto escollo de la memoria.

—¿Y qué pasó? —preguntó Violeta.

—Que de pronto, digo yo que atraído por nuestros gritos, apareció el capitán Cienfuegos. Venía solo, pero se enfrentó sin dudarlo con aquellos marineros; a dos de ellos los derribó a puñetazos, y el tercero salió corriendo como alma que lleva el diablo. Luego, el capitán nos condujo al *Savanna* para curarnos los ras-

193

guños que aquellos salvajes nos habían hecho. Así se conocieron la señorita y Simón Cienfuegos.

—¿Y cuándo se enamoraron?

Amalia profirió una risa cascada.

—La señorita Beatriz se enamoró de él nada más verle. Y yo también, qué diantre, aunque sólo era una cría —su mirada se tornó soñadora—. El capitán Cienfuegos era alto y fuerte, con los hombros anchos y la piel del color del bronce. Tenía el pelo ensortijado y los ojos grandes, tan negros como la noche; además, era todo un caballero, el hombre más amable y atento que he conocido —suspiró—. El capitán venía a Santander dos o tres veces al año, y cada vez que regresaba se veía con la señorita Beatriz. Eso duró un par de años, pero desde el principio fueron como el fuego y la yesca; estaban destinados el uno al otro. Luego, se marcharon juntos y jamás volví a verlos.

—¿Cómo fue? —preguntó Violeta—. ¿Cómo se fugaron?

La anciana volvió a suspirar.

—Los padres de la señorita Beatriz y los de Sebastián Mendoza fijaron la fecha de la boda para principios de junio. La señorita estaba desesperada y me pidió que fuera todos los días al puerto para aguardar la llegada del *Savanna*. Pero el *Savanna* no llegaba, y la señorita se marchitaba como una flor —hizo una larga pausa y prosiguió—: Al final, el capitán Cienfuegos regresó a Santander la víspera de la boda. Yo misma ayudé a la señorita a hacer el equipaje y juntas, como ladrones en la noche, salimos de Villa Candelaria camino de los muelles. Luego, la señorita

se reunió con el capitán, subieron al *Savanna* y se fueron para siempre. Eso es todo, ya no hay más que contar.

—¿Y el collar? —pregunté.

Amalia me miró con extrañeza.

—¿Qué collar?

—Las Lágrimas de Shiva, el regalo de compromiso que le hizo Sebastián Mendoza a Beatriz.

—Ah, ese collar... Sí, hubo mucho revuelo cuando
desapareció.

—¿Se lo llevó Beatriz?

La anciana se encogió de hombros.

—Qué sé yo. La señorita Beatriz no me dijo nada.
Pero si se lo llevó, hizo muy bien. A fin de cuentas era
suyo, ¿no? Se lo habían regalado —Amalia apuró el vino de un trago y se puso trabajosamente en pie—.
Bueno, basta de charla —resolvió—; tengo que ir a
comprar.

—Un momento —la contuvo Violeta—. Es usted
quien lleva flores a la tumba de Beatriz, ¿verdad?

—Sí... —contestó débilmente.

—¿Y por qué lo hace? Beatriz no está en esa tumba.

Amalia ladeó la cabeza, como si quisiera ocultar el
rostro, pero me pareció entrever un vidrioso titubeo de
lágrimas en su mirada.

—Hace muchos años —dijo en voz muy bajita—,
creo que fue en el cuarenta y nueve o el cincuenta, re-
cibí una carta del capitán Cienfuegos. Era muy corta;
el capitán sólo quería anunciarme que la señorita
Beatriz había muerto en Jamaica de unas malas fie-

bres —tragó saliva—. La lloré mucho —musitó mientras renqueaba, alejándose de nosotros apoyada en su bastón; y agregó—: Aún la sigo llorando...

10. El aroma de los nardos

Aquella charla con Amalia Bareyo supuso el final de nuestras pesquisas. Beatriz Obregón, la joven aristócrata, y Simón Cienfuegos, el marino hijo de una esclava, se conocieron por azar, se enamoraron y, finalmente, se fugaron juntos a América. No hubo crímenes, ni robos misteriosos; sólo una simple historia de amor.

Durante los días siguientes, Violeta y yo fuimos con frecuencia a la playa. A veces, mientras estábamos tumbados en la arena, hablábamos de Beatriz, preguntándonos cómo habrían sido los casi cincuenta años que vivió en Jamaica junto al capitán Cienfuegos; pero, en general, nos mostrábamos más bien taciturnos, como si el final de nuestra pequeña investigación nos hubiera llenado de melancolía.

El buen tiempo había regresado, hacía calor y el sol brillaba radiante en el cielo. Con la llegada de agosto, la ciudad se llenó de turistas. Sin embargo, Violeta y yo nos sentíamos ajenos al bullicio que nos rodeaba. En parte, eso se debía al fúnebre ambiente que reinaba en Villa Candelaria; puede que en el exterior hubiera dejado de llover, pero dentro de la casa aún tronaba la tormenta.

No obstante, había algo más, existía otro motivo para aquella sensación de vacío que, como un huésped indeseado, parecía haberse instalado en mi estómago. Antes dije que todo había acabado, pero ¿era así realmente? ¿Es que el fantasma de Beatriz había estado manifestándose sólo para que nos enterásemos de su historia de amor? ¿Tanto esfuerzo de ultratumba por un motivo tan tonto? No, yo intuía que faltaba algo, que el rompecabezas no estaba completo, y eso me ponía muy nervioso.

Y más nervioso me puse cuando comencé a percibir un fantasmal perfume a nardos en todas partes y en todo momento.

* * *

Al principio sucedía de forma esporádica. Una tarde, mientras estaba solo en el salón escuchando la radio, noté que olía débilmente a nardos. Un escalofrío me recorrió la espalda y me puse en tensión, esperando que algo sucediera; pero nada ocurrió y, tal y como vino, el aroma se fue.

Sin embargo, aquella misma noche, en mi cuarto, volví a oler a nardos. Y lo mismo sucedió al día siguiente, en el comedor, y en la cocina, y en el salón, cada vez con mayor frecuencia, hasta que, tres días más tarde, el perfume invadió la casa entera.

Recuerdo que se lo comenté a Violeta, pero ella, tras olisquear el aire, se limitó a decir:

—Yo no huelo a nada.

—¿Pero qué dices? —exclamé, irritado—. ¡Huele a nardos, maldita sea! Llevo todo el día oliendo ese perfume.

—No huele a nada, Javier —insistió mi prima—; es tu imaginación. Me parece que estás obsesionado con la historia de Beatriz; deberías quitártela de la cabeza.

Pero yo no estaba obsesionado, ni me imaginaba nada. Olía a nardos, a todas horas, en todas partes, y aquello me estaba destrozando los nervios. Finalmente, el domingo de la segunda semana de agosto, no pude más y exploté. Debían de ser las once y media de la noche. Estaba en la cama, intentando leer una novela, pero no lograba concentrarme, pues el aroma era en aquel momento tan intenso que me agobiaba. Harto de leer una y otra vez la misma línea sin enterarme de nada, cerré el libro de golpe y lo dejé sobre la mesilla de noche. Acto seguido, me senté en la cama y exclamé:

—Bueno, ¿qué quieres?

Como era de esperar, nadie contestó.

—¿No quieres nada? Entonces, ¿por qué narices estás dándome la vara todo el día con el dichoso perfume?

Silencio. Quizá fuera mi imaginación, pero me pareció que el olor a nardos se incrementaba.

—¿Qué demonios quieres que haga? —insistí—. ¿Espiritismo? ¿Te pongo una vela? ¿Sacrifico una gallina en tu honor?...

Un claxon sonó en la lejanía. Luego, el ladrido de un perro.

—Vale —proseguí, haciendo un gesto envolvente con las manos—. Te invito a venir. Mueve los libros, escribe mensajes en los espejos, lo que quieras, pero haz algo de una vez.

Transcurrió un largo minuto, pero los libros no se movieron de su sitio, ni hubo mensajes misteriosos, ni sucedió nada de nada. Exhalé una bocanada de aire y apagué la lámpara de la mesilla de un manotazo.

—¿Te molesta la luz? Pues ya no hay luz. Vamos, sé un buen fantasma. ¿No eres una aparición? ¡Pues aparécete, maldita sea!

Permanecí largo rato despierto cn la penumbra del dormitorio, aguardando a que algo ocurriera, pero nada ocurrió y poco a poco, sin darme cuenta, me fui quedando dormido.

Horas después, ya bien entrada la madrugada, me desperté de golpe, súbitamente espabilado, con la absoluta certeza de que había alguien más en mi habitación.

* * *

Abrí los ojos. El perfume era tan intenso que me ahogaba, como si todos los nardos del mundo se hubieran concentrado entre las cuatro paredes de mi dormitorio. La luz de la Luna se filtraba a través de los visillos, difuminando las tinieblas con una tenue claridad lechosa. Alcé la cabeza y paseé lentamente la mirada por la habitación. Al principio pensé que no había nadie, que aquella intuición de una presencia cercana no era más que el fruto de un mal sueño.

Pero entonces la vi.

Había una mujer a los pies de mi cama, mirándome.

Me incorporé bruscamente, con el corazón desbocado, y retrocedí hasta que mi espalda topó con el cabecero. Intenté decir algo, quizá gritar, pero un nudo me cerraba la garganta y no pude hacer otra cosa que quedarme mirando a aquella mujer, si es que eso era una mujer.

En realidad, parecía más bien la sombra de una mujer; aunque no del todo, pues los rasgos de su rostro estaban marcados por una leve fosforescencia, al igual que el contorno del cuerpo. Tras superar un primer instante de ciego terror, advertí que la mujer llevaba un vestido blanco, el mismo traje de novia que Beatriz vestía cuando pintaron su retrato.

Y así fue cómo comprendí que tenía enfrente al fantasma de Beatriz Obregón. Noté que el vello se me erizaba y una rápida sucesión de escalofríos me recorrió el cuerpo como una corriente eléctrica; sentí un pánico tan inmenso que me quedé paralizado, igual que un ratón frente a la mirada de una serpiente.

Pero entonces el espíritu de Beatriz curvó los labios formando una agradable sonrisa y, de repente, el miedo que me estrujaba el corazón pareció esfumarse, dejando tras de sí una gran sensación de calma. Tragué saliva y me senté en la cama.

—¿Qué quieres?... —pregunté en voz baja.

La aparición alzó lentamente una mano y me indicó con un gesto que la siguiera. Dudé durante unos segundos —no tenía las menores ganas de ir en pos de un fantasma en plena noche—, pero, casi sin darme cuenta de lo que hacía, me puse en pie y fui tras ella.

Salimos del dormitorio y cruzamos el distribuidor en dirección a la escalera. Beatriz, unos pasos por delante de mí, se desplazaba con suavidad, como deslizándose sobre el suelo, sin hacer el menor ruido al andar. La casa estaba sumida en la oscuridad; sin embargo, por algún extraño prodigio, yo podía ver todo lo que me rodeaba, como si las paredes despidieran un débil resplandor. El aroma a nardos era asfixiante.

Siguiendo a Beatriz, comencé a remontar los escalones que conducían a la planta superior; cruzamos la terraza y nos metimos en el desván. La espectral figura de la mujer avanzó a lo largo del trastero, hasta detenerse junto al escritorio donde habíamos encontrado la carta.

Entonces, señaló el cajón inferior derecho y escribió algo con el dedo sobre el polvo que cubría la superficie del buró. Acto seguido, volvió a señalar el cajón y luego se quedó mirándome fijamente. Yo apenas podía distinguir su rostro, pero a través de las sombras que lo velaban me pareció entrever una expresión anhelante, como si aquella aparición me estuviera solicitando un favor inmenso.

En ese momento parpadeé. Fue sólo eso, un parpadeo que apenas duró una décima de segundo, pero cuando volví a abrir los ojos, Beatriz ya no estaba allí. Ni siquiera olía a nardos.

Permanecí no sé cuánto tiempo de pie en medio del desván, inmóvil, sintiéndome confuso y desconcertado. Las paredes ya no brillaban, así que no podía ver nada. Cuando logré reaccionar, me dirigí a la entrada y oprimí el interruptor de la luz. El resplandor de la bombilla me obligó a guiñar los ojos hasta que las pupilas se acostumbraron a la claridad.

Me aproximé de nuevo al escritorio. En su parte superior había una palabra escrita sobre el polvo: *Amalia*. Otra vez la vieja doncella, pensé; ¿por qué había vuelto a escribir Beatriz ese nombre? Abrí el cajón señalado por el fantasma. Estaba vacío, aunque eso ya lo había comprobado cuando Violeta y yo lo registramos la primera vez. Entonces me pregunté algo: ¿y si en el buró hubiera otro compartimento secreto?

Saqué el cajón del todo, introduje la mano por el hueco y palpé el fondo. Premio, yo tenía razón: había una moldura, en realidad una clavija. La oprimí y un resorte impulsó hacia delante el segundo cajón oculto. Conteniendo la respiración, me incliné para ver lo que había dentro.

Pero no había nada, absolutamente nada.

* * *

El despertador marcaba las seis menos diez de la madrugada cuando regresé a mi dormitorio. Sabía que no iba a conseguir dormirme de nuevo, así que ni siquiera lo intenté y me quedé tumbado sobre la cama con la vista perdida en el techo, pensando.

Me sentía muy confundido. El fantasma de Beatriz había escrito el nombre de Amalia y señalado el segundo cajón oculto, como si entre ambas cosas existiera una relación. Pero el compartimento secreto estaba vacío. ¿Qué significaba eso? Pasé mucho rato dándole vueltas a aquel enigma. El amanecer me había sorprendido enfrascado en mis reflexiones.

Amalia y un cajón vacío, ésos eran los dos elementos que yo debía unir. Un cajón vacío, un compartimento donde no había nada.

Nada. Cero.

¿Cero?...

De repente, recordé algo que había contado en clase el profesor de matemáticas. Según nos dijo, el cero fue la última cifra en aparecer. Lo inventaron los matemáticos indios allá por el siglo quinto de nuestra era, y luego los árabes exportaron la idea al resto del mundo. Por lo visto, las matemáticas no pudieron desarrollarse plenamente hasta la invención del cero, porque el cero suponía la adopción de un principio tan sencillo como importante: la ausencia de algo ya es algo.

La nada tenía un significado, pensé. ¿Qué significaba un cajón vacío?

Comenzaba a dolerme la cabeza, pero tenía el presentimiento de que estaba a punto de llegar a alguna parte, así que me obligué a seguir pensando. ¿Por qué podía estar vacío un cajón?, me pregunté. Pues porque nunca había contenido nada; o bien, porque contuvo algo, pero alguien lo había cogido...

Exhalé una bocanada de aire y me incorporé bruscamente. ¡Claro, eso era! ¿Cómo podía haber estado tan ciego, cómo podía haber tardado tanto en comprender lo que Beatriz quería decirme?

Miré el despertador: eran las siete y media. Me puse bruscamente en pie y, sin perder tiempo en ducharme, ni en desayunar, ni en lavarme los dientes siquiera, me vestí a toda prisa, abandoné el dormitorio y me dirigí a la carrera a la planta baja.

Nadie se había despertado aún en Villa Candelaria cuando salí a la calle y eché a correr hacia la parada del autobús.

* * *

Llegué demasiado temprano al domicilio de Amalia Bareyo, así que me encaminé a un bar cercano y, tras desayunar, estuve un rato haciendo tiempo. La verdad es que me moría de ganas por terminar lo que había ido a hacer allí, pero me armé de paciencia y aguardé a que dieran las nueve para subir al piso de Amalia.

Fue ella misma quien me abrió la puerta. La anciana, al otro lado del umbral, se me quedó mirando sin decir nada, con una expresión sombría en su arrugado rostro y mucho recelo en la mirada. Entonces comprendí que mis sospechas eran ciertas, y también que ella, ahora, sabía que yo había descubierto su secreto.

—¿No ha venido tu prima, la Obregón? —me preguntó Amalia con una voz que pretendía firmeza, pero que sonó temblorosa.

—Se ha quedado en Villa Candelaria. ¿Puedo pasar?

En vez de contestarme, la anciana se apartó de la entrada y echó a andar, renqueando, hacia la sala de estar. Entré en el piso, cerré la puerta y la seguí.

—Mi hija ha salido —dijo Amalia mientras se acomodaba trabajosamente en su mecedora—, así que, si quieres tomar algo, cógelo tú mismo de la nevera.

Me senté en una silla, muy erguido y un poco envarado.

—No quiero nada, gracias.

—¿No quieres nada? Entonces, ¿a qué has venido?

—Usted lo sabe —respondí.

La anciana titubeó, como si quisiera decir algo, pero no se atreviera a hacerlo; el labio inferior le temblaba. Finalmente, agachó la cabeza y se sumió en un negro silencio.

—Fue usted, ¿verdad? —dije.

Tanto tardó Amalia en responderme que creí que no había oído mi pregunta, o que no había querido oírla. Sin embargo, tras una larga pausa, musitó:

—Sí, fui yo.

Respiré hondo.

—¿Y por qué lo hizo? —pregunté.

La anciana levantó la cabeza y me dirigió una mirada repentinamente desvalida.

—Sabía que ibais a volver —dijo—; lo supe el otro día, en cuanto os vi entrar en el bar —se encogió de hombros—. Supongo que, tarde o temprano, alguien tenía que descubrir mi secreto. Aunque bastante tiempo lo he guardado; un poco más, y me lo llevo a la tumba —dejó escapar un largo suspiro—. Tengo ochenta y siete años, niño; soy muy, pero que muy vieja, y hace tanto que sucedió aquello que ya casi ni me acuerdo. Pero no me arrepiento de nada, de eso bien seguro puedes estar —volvió la mirada hacia el ventanal y la perdió en el azul del cielo; sin mirarme, prosiguió—: Aquella noche, la noche que se fugó la señorita Beatriz, yo la acompañé al puerto. Todavía recuerdo cómo se abrazaron ella y el capitán Cienfuegos, lo felices que estaban, los besos que se dieron... Justo cuando iba a embarcarse en el *Savanna*, la señorita recordó algo. Se acercó a mí y me dijo que había dejado olvidado el collar en el cajón secreto de su escritorio, y me pidió que lo cogiera y que se lo diera a su padre.

—Pero usted no lo hizo.

—No. Cogí el collar al día siguiente, lo guardé en una caja y no le dije nada a nadie.

—¿Por qué?

—Ni yo misma lo sé... Al principio, lo único que quería era tener el collar un tiempo, y luego devolverlo. Era tan bonito... Pero los Mendoza lo reclamaron en seguida, incluso pusieron un pleito a los Obregón. Entonces caí en la cuenta de que escondiendo el collar podría vengarme de mis patronos, y eso fue lo que hice.

—Vengarse de sus patronos... —repetí, sorprendido por el rencor que destilaban las palabras de la anciana—. ¿Tanto los odiaba?

—Con toda mi alma. Eran malas personas, niño; gente pagada de sí misma y sin corazón. Y bien seguro puedes estar de que me alegré con cada uno de los males que sufrieron por lo que les hice. Se lo merecían; eso y mucho más.

—¿Y Beatriz? —pregunté—. ¿No la apreciaba?

—Claro que sí; la quería muchísimo, ya te lo he dicho.

—Pero usted permitió que todo el mundo pensara que ella robó el collar.

Alguna fibra sensible debió de tocar mi observación, porque Amalia torció el gesto y se puso a la defensiva.

—La señorita consiguió lo que quería —objetó, irritada—. Se fue con el hombre al que amaba, a vivir en un país lejano. ¿Qué mal podían hacerle unas cuantas murmuraciones, aquí, tan lejos de ella? Ninguno, niño; yo no le causé ningún daño a la señorita Beatriz.

Suspiré. Después de tanto tiempo no valía la pena censurar a aquella mujer tan anciana. Por muy reprobable que hubiese sido su conducta, ya era demasiado tarde para recriminaciones.

—Así que usted se quedó el collar —dije—. ¿Qué hizo después con él? ¿Lo vendió?

De pronto, la anciana alzó el bastón y descargó un fuerte golpe con la contera en el suelo.

—¡No me faltes al respeto, niño! —exclamó, muy enfadada—. ¡¿Te crees que soy una ladrona?! Si me quedé con el collar fue para vengarme de los Obregón, no por dinero. ¡Claro que no lo vendí!

Alcé las cejas.

—Entonces, ¿qué hizo con él?...

Amalia se me quedó mirando de hito en hito durante unos segundos. De repente, apoyándose en el bastón, se puso en pie y echó a andar hacia la puerta.

—Espera aquí —dijo antes de desaparecer de mi vista.

No sé cuánto aguardé, puede que no más de cinco minutos; al cabo de ese tiempo, la anciana regresó con una caja bajo el brazo.

—Toma —dijo, tendiéndome la caja—. Puedes devolvérselo a los Obregón, o quedártelo, o hacer con él lo que quieras. Yo ya no lo necesito para nada.

Desconcertado, cogí la caja y la examiné en silen-

208

cio. Era de latón, del tamaño de una bombonera, y estaba atada con un bramante. A juzgar por las manchas de óxido, parecía muy vieja.

—¿Quiere decir —musité— que aquí está...?

—Sí, ahí está —me interrumpió—. Llévatelo de una vez, estoy hasta el moño de tenerlo. Y si los Obregón me denuncian a la policía, me da igual. Diles de mi parte que ya no son mis amos, que soy demasiado vieja y que me importa un bledo lo que hagan.

Oía hablar a Amalia, pero apenas prestaba atención a sus palabras, pues todos mis sentidos estaban concentrados en aquella vieja caja de latón. Lentamente, comencé a desatar los nudos que la mantenían cerrada.

—¡No la abras! —me ordenó la anciana—. Guardé ahí el collar hace setenta años y, desde entonces, no he vuelto a verlo.

—¿Por qué?

—Porque quien evita la tentación evita el pecado. Ya ni me acuerdo de cómo era el collar, así que no se te ocurra abrir esa caja delante de mí —me dirigió una hosca mirada—. Ahora, niño, lárgate de mi casa. Lárgate de una maldita vez y no vuelvas nunca.

* * *

Mientras regresaba a Villa Candelaria, sentado en uno de los asientos traseros del autobús, mantenía la caja de latón firmemente apretada contra el pecho. No me atrevía a abrirla, en parte por no hacerlo a la vista de todo el mundo, pero también porque temía que la anciana me hubiera engañado y la caja estuviese vacía.

Afortunadamente, cuando llegué a casa no me crucé con nadie, así que fui directamente a la segunda planta, me encerré en mi dormitorio, me acomodé sobre la cama y puse la caja delante de mí. La miré durante unos segundos, conteniendo la respiración, y luego comencé a desatar la cuerda.

Los nudos estaban muy apretados y tardé dos o tres minutos en deshacerlos. Cuando lo logré, dejé a un lado el bramante y abrí la caja. En su interior había algo envuelto en un paño de terciopelo negro. Lentamente, con mucho cuidado, como si estuviera manipulando un objeto muy frágil, aparté los pliegues del paño...

Y, de golpe, un prodigio quedó al descubierto. Entreabrí los labios y dejé escapar poco a poco el aire, con los ojos alucinados y la mirada clavada en todo aquel oro, y en las decenas de diamantes que lo cubrían, y en las cinco inmensas esmeraldas que parecían derramarse sobre la negrura del terciopelo como el llanto de un dios.

Finalmente, pensé, al cabo de casi setenta años, después de causar tantos problemas, tanto dolor y tanto odio, las Lágrimas de Shiva habían regresado a Villa Candelaria.

11. Las lágrimas de un dios

Más adelante, con el paso del tiempo, he disfrutado en mi vida de muchos y muy buenos momentos, pero creo que ninguno ha sido tan grande, tan intenso y satisfactorio como el que viví aquel día en Villa Candelaria.

Lo primero que hice fue reunir a mis primas. Cuando tuve a las cuatro hermanas delante, en mi dormitorio, saqué el paño de terciopelo negro, lo desenvolví con deliberada lentitud e, igual que un ilusionista sacando un conejo de la chistera, les mostré triunfante las Lágrimas de Shiva.

Rosa, Margarita, Violeta y Azucena abrieron la boca a la vez y se quedaron mirando el collar estupefactas. La primera en reaccionar fue Violeta. Se aproximó a mí, rozó con la yema de los dedos una de las esmeraldas —quizá para asegurarse de que era real— y me preguntó:

—¿Dónde lo has encontrado?

Bueno, precisamente ésa era la pregunta cuya respuesta había estado meditando largo y tendido antes de revelar mi hallazgo. Como es lógico, no podía mencionar la intervención del fantasma de Beatriz, al menos si no quería acabar contándole mis sueños más turbios a un loquero con barba de chivo. Por otra parte, tampoco quería inculpar a Amalia Bareyo; no porque me cayese bien —la verdad es que me parecía una vieja de lo más antipática—, sino porque aquella mujer era demasiado mayor para pagar ahora por lo que había hecho cuando sólo era una adolescente. Así que opté por simplificar la verdad, que es una forma como otra cualquiera de mentir.

—Lo encontré en el desván —dije—. Estaba en el escritorio; había otro cajón oculto en el lado derecho.

Violeta me miró con extrañeza, como si algo no le cuadrara, pero justo entonces Rosa y Margarita comenzaron a hablar a la vez, muy excitadas, y cogieron el collar, y se lo probaron frente al espejo del armario y, de pronto, mi dormitorio se convirtió en una fiesta, con mis primas —y yo mismo— montando un pequeño barullo en torno a aquella joya prodigiosa.

Finalmente, cuando los ánimos se serenaron un poco, Violeta fue en busca de sus padres y los condujo al salón sin decirles para qué. Allí, perplejos y desconcertados, los tuvimos esperando unos minutos. Entonces, entramos Rosa, Margarita y yo, extendimos los brazos hacia la puerta, igual que bailarines presentando a una *vedette*, y Azucena apareció en el umbral, con una tímida sonrisa en los labios y las Lágrimas de Shiva destellando en torno a su cuello.

Al principio mis tíos no vieron el collar; luego,

cuando lo vieron, tardaron unos instantes en comprender qué era, y cuando lo comprendieron, sencillamente, se quedaron de piedra.

—¡Dios mío!... —musitó mi tía, llevándose una mano a la boca en un gesto de asombro.

—¡La madre que me parió! —masculló tío Luis con los ojos como platos.

* * *

Como era de esperar, tuve que extenderme en toda suerte de explicaciones, aunque la versión que conté, por supuesto, omitía muchos detalles. En resumen, la cosa era así: a raíz de encontrar el texto escrito en el ejemplar de *Frankenstein*, Violeta y yo nos pusimos a buscar en el trastero los objetos personales de Beatriz Obregón. Encontramos la carta en el buró, localizamos a Amalia Bareyo a través de doña Ramona, descubrimos que Beatriz se había fugado con el capitán Cienfuegos y, finalmente, yo encontré las Lágrimas de Shiva en el segundo compartimento secreto del escritorio.

Cuando concluí mi relato, en medio de un sepulcral silencio, tío Luis cogió el collar, se sentó en el borde de una butaca y permaneció largo rato mirando fijamente la resplandeciente joya.

—Es una maravilla —dijo al fin—. Y debe de costar un riñón... —miró a su mujer—. ¿Cuánto crees que valdrá, Adela?

Mi tía se encogió de hombros.

—No lo sé. Millones, calculo.

Tío Luis contempló de nuevo el collar y contuvo el

aliento. Luego, sacudió la cabeza al tiempo que dejaba escapar lentamente el aire.

—Dan ganas de quedárselo —dijo—. Pero vamos a hacer algo mucho mejor —se puso en pie y, de pronto, comenzó a impartir una retahíla de órdenes—: Anda, poneos guapas, que nos vamos de visita. ¡Deprisa, niñas, no os quedéis ahí pasmadas mirándome! —se volvió hacia mí—. Tú también vienes, Javier; en cinco minutos quiero verte hecho un pincel —se giró hacia su mujer—. Voy a afeitarme, Adela. Y tú date prisa en cambiarte, que quiero salir cuanto antes.

—Pero, ¿adónde vamos? —preguntó mi tía, intercambiando una perpleja mirada con sus hijas.

—¿Adónde vamos?... —tío Luis echó a andar hacia la planta superior y respondió—: Vamos a hacerle una visita a Germán Mendoza.

* * *

Los Mendoza vivían no muy lejos de Villa Candelaria, en un suntuoso palacete rodeado por un extenso jardín francés. Llegamos allí a media mañana, mis tíos, mis primas y yo, todos de punta en blanco. Tío Luis preguntó por don Germán al mayordomo que nos abrió la puerta, y éste nos sugirió que aguardáramos en el salón, pero mi tío dijo que prefería esperar en el vestíbulo, así que el sirviente, un tanto desconcertado, fue en busca de su patrón.

Don Germán llegó unos minutos más tarde, seguido por su hijo Gabriel. Tras contemplarnos como si fuéramos una invasión de cucarachas, el patriarca de los Mendoza le preguntó con sequedad a tío Luis:

—Bueno, ¿qué quiere?

—Aclarar un viejo asunto —replicó mi tío, sosteniendo con firmeza la mirada de don Germán—. Desde hace muchos años, los Mendoza se han dedicado a calumniar a mi familia, acusándonos de haber robado el regalo de compromiso que uno de sus antepasados le hizo a Beatriz Obregón. Pues bien...

Tras una pausa un poco melodramática, tío Luis sacó de un bolsillo las Lágrimas de Shiva y se las entregó a don Germán, que cogió la joya con una expresión de absoluta perplejidad en el rostro.

—Hoy mismo —prosiguió tío Luis—, mi sobrino Javier ha encontrado el collar. Estaba oculto en un mueble que perteneció a Beatriz Obregón; nadie sabía que se encontraba allí. Por todo ello, quiero dejar tres cosas muy claras. Primero: mi antepasada Beatriz no robó nada y, si quiere mi opinión, hizo muy bien en dejar plantado a un Mendoza al pie del altar. Segundo: entre los Obregón no hay ladrones, pero ahora está claro que entre los Mendoza sí que hay difamadores. Tercero y último: ahí tiene el puñetero collar. Y ya sabe por dónde puede metérselo —inclinó cortésmente la cabeza y agregó—: Que tenga un buen día, señor Mendoza.

Dicho esto, tío Luis giró en redondo, abrió la puerta y, tan digno como un rey, abandonó el palacete. Tras él fuimos su mujer, sus hijas y yo, y a nuestras espaldas se quedó don Germán, mirando con asombro el collar tanto tiempo extraviado.

* * *

Tío Luis estaba exultante. Cuando salimos de la residencia de los Mendoza, se aproximó a mí, me estrechó la mano con solemnidad y declaró:

—Aún no te he dado las gracias, Javier, pero al encontrar el collar me has proporcionado la mayor satisfacción de mi vida. Así que gracias, sobrino, muchísimas gracias —se volvió hacia el resto de su familia y alzó los brazos como si fuera a pronunciar un discurso—. Acabamos de desprendernos de una fortuna —dijo—, y eso hay que celebrarlo. Os invito a una mariscada —sonrió de oreja a oreja—. ¿Habéis visto la cara que se le ha quedado a Germán Mendoza? ¡Eso merece un festejo por todo lo alto!

Fue un día perfecto. Comimos en un restaurante del puerto y luego, tras recoger los bañadores en Villa Candelaria, nos fuimos todos a la playa. Tío Luis alquiló una lancha; recorrimos la costa, hasta el faro, e hicimos esquí acuático, y aunque yo no paré de caerme al agua, lo cierto es que fue un día muy, muy, muy especial.

Regresamos a casa al anochecer. Mi tío, feliz como un niño, insistió en invitarnos a cenar en Puerto Chico, pero antes nos dirigimos todos a nuestros dormitorios para asearnos un poco y cambiarnos de ropa. Y ahí estaba yo, en mi cuarto, acabando de vestirme, cuando de pronto llamaron a la puerta. Era Violeta. Entró en la habitación sin decir nada, se me quedó mirando de una forma extraña y comentó:

—Aún no hemos podido hablar a solas.

—Claro, con tanto jaleo...

—Pues llevo todo el día queriendo decirte algo.

—¿El qué?

—Que eres un mentiroso.

Enarqué una ceja.

—¿Por qué dices eso? —pregunté con fingida inocencia.

Violeta se cruzó de brazos.

—Porque hace un par de días subí sola al desván. Estuve echándole otro vistazo al escritorio de Beatriz y encontré el segundo compartimento secreto. ¿Y sabes qué? Estaba vacío.

—Ya... —musité, con cara de circunstancias.

Violeta me miró fijamente, ceñuda.

—¿Dónde encontraste el collar, Javier? —preguntó—. Y dime la verdad.

¿Qué podía hacer? Decirle la verdad, claro; así que le conté con pelos y señales la aparición nocturna del fantasma de Beatriz, y los pormenores de mi posterior encuentro con Amalia Bareyo. Cuando concluí el relato, Violeta, con el rostro arrebolado, me preguntó:

—¿De verdad viste a Beatriz?

—Sí.

—¿Y cómo era?

—Como en el cuadro.

—¿Pero se transparentaba, o algo así?

Sacudí la cabeza.

—No, era más bien como si estuviese siempre en sombras. Pero parecía de carne y hueso, aunque no hacía ningún ruido.

Violeta dejó escapar un suspiro.

—Después de todo —dijo—, Beatriz sólo quería que recuperáramos el collar —perdió la mirada—. Me hubiera encantado verla...

—Pues al principio, cuando la vi, casi me dio un infarto.

Sonrió.

—¿Y esa bruja de doña Amalia? —dijo, cambiando de tema—. Menuda hija de su madre... Pero has hecho bien al no decirle a nadie que ella fue la ladrona. Bastante tiene ya cociéndose en su mala baba. Qué vieja, anda que no le ha hecho la pascua a mi familia.

—Bueno, pero al final todo ha acabado bien —observé.

—Sí... —asintió Violeta.

De pronto, nos quedamos sin nada que decir, silenciosos, el uno frente al otro, mirándonos a los ojos. Y yo me sentí repentinamente turbado, como si una idea rara se me hubiera colado a escondidas en la mente, y creí entrever un extraño brillo en la mirada de mi prima, y el corazón, sin motivo alguno, comenzó a latirme más rápido.

Entonces, la voz de tío Luis nos llegó a través de la puerta, metiéndonos prisa para salir cuanto antes. Violeta y yo carraspeamos a la vez, un poco azorados. Ella echó a andar hacia su cuarto, y yo me di la vuelta para que no me viese la cara, pues, por algún motivo que entonces no pude discernir, me había puesto rojo como un tomate.

* * *

Gabriel Mendoza, el hijo de don Germán, se presentó al día siguiente en Villa Candelaria. Quería hablar con tío Luis, pero también con el resto de la

familia, así que nos reunimos todos en el salón. Gabriel se había cortado el pelo y llevaba chaqueta y corbata —supongo que para dar más solemnidad a su visita—, aunque se le veía claramente incómodo con aquel atuendo, y también muy nervioso.

—Se-señor Obregón —dijo, refrenando un conato de tartamudeo—, la verdad es que no sé lo que piensa mi padre, ni lo que hará, pero yo sé muy bien cuál es mi deber —tras un carraspeo, en tono un poco monocorde, como si recitara un discurso largamente ensayado, prosiguió—: En calidad de primogénito de la familia Mendoza, quiero pedirle perdón por todo el daño que hayamos podido causarle a usted y a su familia. Las acusaciones que los Mendoza llevan difundiendo desde hace muchas décadas contra los Obregón han resultado infundadas, así que le doy mi palabra de que haré todo lo que esté en mi mano para restaurar el honor de su familia y enmendar los errores de la mía. Por tanto, en mi nombre, y en nombre de los míos, le ruego que acepte nuestras más sentidas disculpas.

Tras concluir su perorata, Gabriel tragó saliva y se quedó mirando expectante a tío Luis. Éste, con una beatífica sonrisa en el rostro, asintió levemente.

—Vale —dijo—; acepto las disculpas.

Gabriel cambió el peso del cuerpo de un pie a otro y miró fugazmente a Rosa.

—Hay algo más, señor Obregón. Es so-so... —tragó saliva para controlar el tartamudeo y continuó—: Es sobre su hija Rosa.

Tío Luis alzó una ceja.

—Tú dirás —le invitó a seguir.

—Pues verá —Gabriel respiró profundamente, haciendo acopio de valor, y declaró—: Estoy enamorado de Rosa, la quiero muchísimo. Y eso no debería extrañarle, ni a usted ni a nadie, porque su hija es preciosa, e inteligente, y sensible, y encantadora, y... Bueno, usted ya la conoce. Lo extraño es que, al parecer, Rosa también me quiere a mí. En fin, es inexplicable, ya lo sé, pero he tenido esa suerte. El caso es que quiero salir con su hija y me encantaría contar con su consentimiento, señor Obregón... Pero no quiero engañarle: con su aprobación o sin ella, nada en el mundo podrá impedirme estar con Rosa. Aunque, claro, preferiría que usted lo aprobara...

Tío Luis ladeó la cabeza y miró fijamente a Gabriel, como si poseyera visión de rayos X y quisiera contemplar su interior. Durante unos segundos, todos contuvimos el aliento, expectantes, en medio de un sepulcral silencio. De pronto, mi tío se volvió hacia su hija mayor y le preguntó:

—¿A ti te gusta este joven, Rosa?

—Sí —respondió ella al instante—. Me gusta mucho.

—Pues a mí también —repuso mi tío con una sonrisa.

¿Os imagináis una goma elástica muy tensa que, de golpe, se distiende? Pues eso sucedió en el salón de Villa Candelaria. Todos los presentes exhalamos a la vez el aire que hasta aquel momento habíamos contenido en los pulmones, y comenzamos a sonreírnos los unos a los otros con cara de bobos. De haber sido una película, en aquel momento habrían sonado los violi-

221

nes. Para ser sincero, me dio un poco de grima lo cursi que se estaba poniendo el ambiente.

Tío Luis dio una palmada para llamar nuestra atención y nos dijo que, como estaba de muy buen humor, nos invitaba otra vez a comer en el puerto. Por supuesto, en la invitación también incluyó a Gabriel Mendoza, que aceptó encantado —parecía como si flotara en una nube—; pero entonces tío Luis alzó el índice de la mano derecha y le advirtió:

—Ojo, muchacho, que yo te dé permiso para salir con mi hija no lo soluciona todo. ¿Qué va a decir tu padre de esto?

Gabriel miró a Rosa y de nuevo a tío Luis.

—Para serle sincero, señor Obregón —respondió—, me importa un bledo lo que diga mi padre.

12. Azucena

Durante las tres semanas que siguieron a los acontecimientos que acabo de relatar, mi estancia en Santander se convirtió, por fin, en unas auténticas vacaciones. Las lluvias no volvieron y la vida en Villa Candelaria recobró su habitual serenidad. Tío Luis construía sus máquinas imposibles, tía Adela seguía escuchando (ya sin suspirar) a Chaikovski, Rosa y Gabriel se veían a diario, y Violeta y yo pasábamos casi todo el tiempo juntos.

Íbamos a la playa, hacíamos excursiones, dábamos paseos, intercambiábamos libros, charlábamos en el porche al anochecer —hasta que los mosquitos nos obligaban a buscar refugio en la casa—, ella procuraba no echarme broncas y yo hacía lo posible por no darle motivos para abroncarme. Supongo que aquella concordia se debía, al menos en parte, a la extraña aventura que habíamos protagonizado al descifrar el misterio de las Lágrimas de Shiva, y también al secreto que nos unía, aquel fantasma cuya existencia sólo Violeta y yo conocíamos.

223

Fue un tiempo remansado, un tiempo perezoso y sensual, como una prolongada siesta. Durante aquel final del verano, los días se sucedían tan iguales entre sí, tan pausadamente, que parecía como si sólo hubiera un único y larguísimo día, seguido de una infinita noche. Creo que, desde entonces, así me imagino yo la eternidad.

Aunque no todo fue calma y quietud. Hubo, de hecho, un incidente que, pese a ser un poco ridículo, acabó por conducirme de cabeza a la comisaría. Ocurrió un sábado por la mañana, cuando las playas estaban más atestadas. Violeta, Azucena y yo íbamos a ir a bañarnos e, inesperadamente, pues no era su costumbre, Margarita decidió venir con nosotros. El caso es que llegamos a la primera playa, extendimos las toallas sobre la arena y nos desvestimos. Entonces, tras quitarse la blusa y los pantalones cortos, descubrimos que Margarita llevaba puesto un biquini realmente pequeño. No es que fuera escandaloso, pero aquéllos eran otros tiempos, y no precisamente muy tolerantes.

Marga, como una diosa pagana, se tumbó sobre su toalla, cerró los ojos y se puso a tomar el sol tranquilamente, ajena a la expectación que estaba levantando. Al cabo de unos minutos, todos los varones menores de ochenta años que había en la playa comenzaron a desfilar por delante de donde estaba mi prima, fingiendo que iban a lo suyo, pero sin dejar de mirarla disimuladamente. Al mismo tiempo, las comadres que nos rodeaban se pusieron a cuchichear en tono ofendido, procurando, eso sí, que nos llegaran bien claras ciertas palabras clave, como *desvergüenza*, *inmoralidad* o *escándalo*.

Eran otros tiempos, ya lo he dicho, y prueba de ello es que, media hora más tarde, apareció un guardia municipal, se aproximó a Margarita y le dijo en tono autoritario:

—Señorita, haga el favor de taparse.

Mi prima le miró como si, en vez de un policía, estuviera viendo a un insecto particularmente desagradable.

—Si me tapo no me da el sol —repuso—, y quiero broncearme.

El agente, un cuarentón pasado de peso y de expresión adusta, frunció el ceño.

—Mire que soy la autoridad, ¿eh? —advirtió—. Déjese de tonterías y vístase, que está dando un espectáculo.

—No, perdone —replicó Marga—, yo estaba aquí tomando el sol sin meterme con nadie. El espectáculo lo está montando usted.

El policía parpadeó, desconcertado; creo que no estaba acostumbrado a que le trataran con tan escaso respeto.

—Obedezca de una vez, joven —gruñó—, o me veré obligado a detenerla.

—¿Ah, sí? Pues deténgame, porque yo no pienso moverme de aquí.

Dicho esto, Margarita cerró los ojos y siguió tomando el sol como si tal cosa. Poco a poco, se había ido formando un corrillo de curiosos a nuestro alrededor. Los más jóvenes comenzaron a jalear a Margarita,

225

mientras que los de más edad se ponían de parte del policía. Éste miraba en derredor con patético desconcierto. Tenía dos alternativas: intentar llevarse a rastras a una chica muy ligera de ropa, o bien quedar en ridículo delante de todo el mundo.

Finalmente, quizá intentando salvar su maltrecha dignidad, aferró a Margarita por el brazo y comenzó a tirar de ella para intentar levantarla. Violeta y yo, que hasta aquel momento habíamos sido mudos testigos del percance, corrimos a defender a Marga. El agente se puso entonces a forcejear con nosotros y apartó a Violeta de un empujón. Y de repente, como si se hubiera convertido en una gata salvaje, Azucena saltó sobre el policía y le mordió con todas sus fuerzas en el brazo.

En resumen: acabamos todos en la comisaría y tuvo que venir tío Luis a sacarnos de allí. De regreso a casa, mientras conducía, mi tío nos echó un severa reprimenda, en particular a Margarita; sin embargo, pese a su aparente enfado, por un momento me pareció atisbar en su mirada una especie de sonrisa oculta, como si en el fondo le divirtiera (e incluso aprobara) el comportamiento de su hija.

Unos días después, Abraham Bárcena, el propietario de El Cormorán, nos convocó a Violeta y a mí en su tienda para enseñarnos algo. Al parecer, rebuscando entre los álbumes de recuerdos de un viejo amigo suyo, había encontrado una foto en la que quizás aparecía Simón Cienfuegos, el capitán del *Savanna*.

—No es seguro que sea él, marineros —nos advirtió Bárcena—. Encontré la foto en casa de mi amigo

226

Lucas Leiba, un viejo lobo de mar ya retirado. La foto se debió de tomar a finales del siglo pasado. Mirad...

Violeta y yo nos inclinamos a la vez para contemplar la fotografía que Bárcena había puesto sobre el mostrador. En ella se veía a un grupo de ocho marinos posando frente a los muelles.

—¿Quién es Cienfuegos? —pregunté.

—¿Pues quién va a ser, grumetillo? —respondió Bárcena—. El único negro que hay ahí.

La foto era de color sepia y no estaba demasiado nítida, sin embargo, al fijarme bien descubrí que, en efecto, uno de los marinos, el que se encontraba en el extremo derecho, tenía la tez más oscura que los demás. Era un hombre muy alto —le sacaba más de una cabeza a los otros—, ancho de espaldas y con el pelo ensortijado. Llevaba una chaqueta cruzada y en la mano sostenía una gorra de capitán. Sus facciones eran enérgicas, con el mentón cuadrado, los labios carnosos, la nariz recta y unos ojos grandes e intensos.

Vale, era un tío cachas, pero tampoco me pareció gran cosa. Opinión que, por supuesto, no compartió Violeta. Tras contemplar la fotografía durante un buen rato, alzó la cabeza, sonrió bobamente y dejó escapar un suspiro.

—No me extraña que Beatriz se enamorara de él... —murmuró.

Y se pasó el resto del día con la cabeza en otra parte y una expresión soñadora en la mirada. Pero, en fin, así son las mujeres algunas veces.

* * *

Los días transcurrieron perezosamente y el largo verano comenzó a languidecer. Una mañana de finales de agosto, mi madre me llamó por teléfono para decirme que, según el médico, papá ya estaba prácticamente restablecido y, por tanto, yo podía volver a casa, así que me había sacado un billete de tren para el cinco de septiembre. Antes de despedirse de mí, añadió que tenía muchas ganas de volver a verme.

Yo también echaba de menos a mi familia; sin embargo, conocer la fecha de mi regreso me produjo una sensación extraña, un poco melancólica. Le conté a tía Adela lo que me había dicho mi madre y acto seguido me dirigí al salón, donde estuve un buen rato sentado en el sofá, mirando por el ventanal sin pensar en nada.

Al cabo de media hora apareció Violeta, aunque casi no la reconocí, pues se había arreglado el pelo y vestía una bonita blusa estampada y una falda. Era la primera vez que la veía sin sus sempiternos vaqueros, y lo cierto es que estaba preciosa.

—Mamá dice que vuelves a Madrid el próximo viernes —comentó con aparente indiferencia.

—Mi padre está mucho mejor —asentí.

—Me alegro. Quiero decir que me alegro de que tu padre esté bien —hizo una pausa—. Así que te vas dentro de seis días... Vaya, ahora que empezaba a acostumbrarme a ti.

—Sí, soy como los perros —repliqué en tono burlón—; se nos acaba cogiendo cariño.

Violeta sonrió y se sentó a mi lado.

—Bueno, ¿qué tal te lo has pasado? —preguntó.

—Genial. Han sido unas vacaciones fantásticas. He

visto un fantasma, he encontrado una joya que vale una fortuna y me ha detenido la policía. No se le puede pedir más a unas vacaciones.

—¿Has estado a gusto aquí, en Villa Candelaria?

—Mucho. Tus padres son fenomenales y tus hermanas muy simpáticas.

Violeta ladeó la cabeza y me miró de reojo.

—¿Y nada más? —preguntó.

Me encogí de hombros.

—Bueno, tu madre cocina muy bien...

Mi prima se pasó una mano por el cabello; de pronto, parecía un poquito exasperada.

—¿Y qué piensas de mí? —preguntó, mirándome a los ojos.

La verdad es que comenzaba a sentirme incómodo: ¿a qué venían tantas preguntas?

—Pues..., nos hemos divertido juntos, ¿no? —carraspeé—; con todo eso de las Lágrimas de Shiva y el fantasma, quiero decir. Hemos sido como Sherlock Holmes y el doctor Watson —hice una pausa y me apresuré a aclarar—: Yo sería Watson, por supuesto. Bueno, pues que me caes bastante bien, y eres una buena amiga.

Violeta se incorporó bruscamente y puso los brazos en jarras.

—¿Te caigo *bastante* bien? —me espetó, poniendo mucho énfasis en la palabra *bastante*—. ¿Soy una *buena* amiga? —respiró hondo, como una locomotora soltando vapor, y exclamó—: ¡Pues tú me caes fatal! ¡Tienes menos sensibilidad que un tarugo y eres un..., un...! —boqueó varias veces, como si no lograra en-

contrar un adjetivo lo bastante insultante, y concluyó—.
¡Vete a la mierda!

Dicho lo cual, se dio la vuelta y abandonó digna-
mente el salón. Y yo me quedé sentado en el sofá, con
cara de tonto, preguntándome qué podía haber hecho
para enfurecerla tanto. Entonces, alguien dijo:

—Eres idiota.

Giré la cabeza y descubrí que Azucena estaba un
par de metros a mi derecha, junto a un gran sillón de
orejas. Dado que aquella niña jamás había despegado
los labios delante de mí, al principio no la relacioné
con la voz que me había insultado. Pero, entonces,
Azucena abrió la boca y repitió:

—Eres idiota.

Me quedé de piedra. Durante dos meses, esa niña no
había dicho ni una palabra, y ahora, cuando se decidía
a hablar, lo hacía para insultarme.

—¿Por qué dices eso? —pregunté.

—Porque lo eres. Todos los chicos lo sois, pero tú
eres el campeón de los idiotas.

—Vale, soy idiota. Pero, ¿qué idiotez he hecho ahora?

—No enterarte de nada.

—¿Y de qué me tengo que enterar?

—De que le gustas a mi hermana —contestó.

—¿A qué hermana? —pregunté tontamente.

—¿Pues a quién va a ser? ¡A Violeta, imbécil!

Abrí mucho los ojos.

—¿Que le gusto a Violeta? Si no para de abroncarme...

—Pero le gustas —repuso ella con un encogimien-

230

to de hombros, como si considerara uno de los grandes misterios de la vida que yo pudiera gustarle a alguien.

—¿Y tú cómo lo sabes? —pregunté.

—Porque tengo ojos en la cara. Sólo hay que ver a Violeta para darse cuenta de lo que siente por ti. ¿No te has fijado en lo guapa que se ha puesto hoy para hablar contigo, pedazo de burro? Y tú sin enterarte de nada. Pero lo peor de todo es que ella también te gusta a ti, y tampoco te has enterado.

Dicho esto, Azucena me contempló con desdén, sacudió la cabeza, se dio la vuelta y abandonó el salón. Y yo me quedé más desconcertado que un buzo en el desierto. ¿Le gustaba a Violeta? Me parecía imposible, pero en realidad la pregunta importante era otra: ¿Me gustaba Violeta a mí? Violeta era muy guapa, reflexioné, pero tenía un carácter insoportable, aunque era inteligente, eso sí. Y mandona, pero también divertida; e impaciente, pero buena conversadora, y...

¡Al cuerno!, decidí de repente. No hacía falta enumerar los pros y los contras, sino mirar dentro de mí y preguntarme por mis sentimientos. Así lo hice, y no tuve que reflexionar demasiado para descubrir que, en efecto, Violeta me gustaba, y mucho. Comprender esa verdad tan sencilla me dejó anonadado. Azucena estaba en lo cierto sobre lo que yo sentía hacia su hermana, pensé. Pero entonces, ¿no tendría también razón acerca de los sentimientos de Violeta hacia mí?...

No pensé mucho más. Parpadeé un par de veces, tragué saliva y eché a correr.

* * *

No me molesté en buscarla en el jardín, ni en su dormitorio, pues desde el principio sabía dónde estaba. Me dirigí a la escalera, remonté los peldaños de dos en dos hasta llegar a la planta alta, crucé la terraza y abrí la puerta de la torre. Mi prima se hallaba de pie frente a uno de los ventanales, contemplando el lejano mar. No podía verle la cara porque estaba de espaldas a mí.

—Violeta... —dije.

—¿Qué quieres? —contestó en tono seco, sin volverse.

—Pues... Hablar contigo.

Hubo un breve silencio. De pronto, mi prima giró en redondo y se aproximó a mí.

—¿Quieres hablar con una «buena amiga»? —preguntó en tono sarcástico, mientras agitaba un amenazador dedo delante de mis narices—. ¿Quieres hablar con esa «buena amiga» que te cae «bastante bien»? ¡Porque si es eso lo que quieres, más vale que vayas a contárselo a uno de tus estúpidos marcianos!

La miré a los ojos. Tenía muy mal genio, las cosas como son, pero era tan bonita como un amanecer.

—Perdona, lo siento —me disculpé—, no quise decir eso. Me caes muy bien. No, mucho mejor que bien. Y no eres sólo una buena amiga, al menos para mí...

Violeta arrugó el entrecejo.

—Entonces, ¿qué soy?

—Pues... —vacilé—. Eres... Bueno, yo... y tú... Ya sabes, tú y yo... En fin...

De repente, me quedé mudo. El valor había huido

232

de mí como un conejo del galgo, me flaqueaban las rodillas y era incapaz de articular palabra. Violeta me contempló muy seria durante un largo e incomodísimo minuto. Después, sacudió la cabeza y exclamó:

—¡Pero mira que eres tonto!

Y me besó.

Al principio, fue un beso muy leve, sus labios contra los míos y las manos entrelazadas en mi cintura. Luego, primero con timidez, con abierta osadía más tarde, las lenguas cruzaron la frontera de los dientes, y yo la estreché entre mis brazos, y ella me acarició la espalda, y yo acaricié la íntima calidez de su piel. Estaba muy excitado, y muy nervioso, y terriblemente feliz; tanto, que de repente me eché a llorar.

No es que gimotease, ni nada por el estilo; lo que pasó es que los ojos se me llenaron de lágrimas y las malditas lágrimas comenzaron a resbalarme por las mejillas, así que me aparté de mi prima y ladeé la cabeza para ocultar el rostro.

—¿Qué te pasa? —me preguntó.

—Nada —contesté mientras enjugaba disimuladamente las lágrimas con el dorso de la mano—, que se me ha metido algo en un ojo...

Nos quedamos en silencio. Yo no sabía dónde meterme, porque no conseguía dejar de llorar, y ella no dejaba de mirarme con una sonrisa en los labios. Al cabo de unos segundos, se abrazó a mí y me susurró al oído:

—A veces, los sentimientos son tan intensos que duelen. Pero no tienes que sentir vergüenza por demostrarlo, Javier; a mí me gusta que seas así...

Teníamos la misma edad, pero Violeta era infinitamente más sabia que yo, y supo tener paciencia para enseñarme.

Descubrí muchas cosas aquel verano, y no sólo un collar perdido. Descubrí que el Paraíso puede encontrarse en el tacto de una piel suave, que las caricias son más fuertes que los golpes, que los besos pueden hacerte volar; descubrí que había sentimientos insospechados en mi interior, que se puede reír y llorar al mismo tiempo, que es tan excitante querer como ser querido; descubrí, en definitiva, algo tan simple y tan complejo, tan vulgar y tan extraordinario, tan dulce y tan amargo, como el amor.

* * *

Sí, ésta es la típica historia con un final asquerosamente feliz; pero ¿qué voy a hacerle? Así sucedieron las cosas. Por lo demás, ¿qué fue de mis primas, las cuatro flores, como las llamaba su madre?

Rosa y Gabriel siguieron saliendo, ya sin ocultar su relación, y en otoño fueron a Madrid para estudiar Arquitectura. Cinco años más tarde, se casaron. Yo asistí a la boda y todavía conservo una foto de los novios. En ella aparece Gabriel, con traje y corbata, el pelo y la barba bien cortados y una expresión risueña en el rostro. A su lado está Rosa, vestida con el traje blanco de Beatriz Obregón, el mismo que encontramos Violeta y yo en el desván.

De hecho, en esa foto Rosa se parece muchísimo a Beatriz, y al parecido contribuye el hecho de que la mayor de mis primas llevaba en torno al cuello un collar de oro, diamantes y esmeraldas. Sí, ése fue el regalo de compromiso que Gabriel le hizo a Rosa: las Lágrimas de Shiva. Y, si nos paramos a pensarlo, resulta un poco irónico. El collar se lo regaló Sebastián Mendoza a Beatriz Obregón en 1901, pero Beatriz se fugó y las Lágrimas estuvieron perdidas durante sesenta y ocho años. Luego, yo encontré el collar y tío Luis se lo devolvió a los Mendoza; pero, finalmente, las Lágrimas de Shiva regresaron a manos de una Obregón con motivo de una boda.

¿Tantos líos y tanto follón para que, al final, las cosas se quedaran igual que al principio? Bueno, así es la vida.

Margarita se fue a estudiar fuera de Santander, pero no a Madrid, sino a París. Y en cuanto a Azucena... Bueno, esa chica siempre fue un poco rara, aunque muy brillante. Estudió Ingeniería, como su padre, y acabó trabajando en la NASA. Supongo que ella es lo más cerca que yo jamás estaré de mi tan querido programa espacial.

Y ya sólo nos queda hablar de Violeta y de mí, claro. El caso es que Violeta y yo, después de todo, acabamos por... Pero eso, como decía Rudyard Kipling, es otra historia

Ahora, al cabo de tanto tiempo, comprendo lo importante que fue para mí aquel verano, lo mucho que me cambió mi estancia en Villa Candelaria, y el modo en que me hizo madurar la relación que mantuve con mis cuatro primas. Supongo que crecí, y eso significó perder algo muy valioso a cambio de otra cosa no menos importante. Todavía hoy me pregunto si sa-

235

lí ganando o perdiendo con el cambio, aunque quizá no tenga mucho sentido planteárselo, pues es algo que sucede inevitablemente.

Todo cambia, nada permanece —como solía decir mi profesor de filosofía— y el verano de 1969 tocó a su fin. El viernes de la primera semana de septiembre, muy temprano, mis tíos y mis primas me acompañaron a la estación. Recorrimos el andén en silencio, hasta detenernos al llegar a la altura del vagón que yo tenía asignado. Dejé la maleta en el suelo y me despedí, uno por uno, de los Obregón.

Tío Luis me estrechó la mano y luego me dio un fuerte abrazo; tía Adela posó dos sonoros besos en mis mejillas y derramó unas lágrimas; Rosa también me besó, pero antes de apartarse de mí me dio las gracias al oído. En cuanto a Margarita, me guiñó un ojo, y Azucena no dijo nada, pero me sonrió, lo que en su caso supongo que era un inesperado rasgo de elocuencia.

Y Violeta... Violeta se aproximó a mí, me miró largamente y, de pronto, me besó en la boca, delante de sus padres. Me quedé helado. Por el rabillo del ojo vi que tía Adela ponía cara sorpresa (y horror) y se disponía a reprendernos, pero también vi que tío Luis sonreía bonachón y le indicaba con un gesto a su mujer que nos dejara en paz, así que me relajé y le devolví a mi prima el beso.

Entonces sonó el silbato de la locomotora, anunciando la proximidad de la partida, y Violeta y yo nos separamos, despacio, como a regañadientes. Ella sonrió y dijo en voz bajita:

—Te quiero, primo.

Le devolví la sonrisa.

—Y yo a ti, prima —respondí.

Luego, el silbato volvió a sonar y subí al vagón a toda prisa. Dejé la maleta en mi compartimento y me asomé a la ventanilla justo cuando el tren se ponía en marcha. Alcé una mano y la agité, diciéndole adiós a mis tíos y a mis primas.

Y entonces, conforme el tren se alejaba, percibí un perfume familiar, un delicado aroma a nardos, y supe que, aparte de aquéllos a quienes podía ver en el andén, había alguien más despidiéndose de mí en la estación.